足立 基浩

新型コロナと
まちづくり

リスク管理型
エリアマネジメント戦略

晃洋書房

は じ め に

　主にローカルファースト（地方重視）¹⁾を基本理念に日本全国の中心市街地再生を書いた『シャッター通り再生計画』（ミネルヴァ書房）執筆からちょうど10年ほどが経過した，2019年夏に晃洋書房から本書執筆の提案をいただいた。

　その時の企画内容は，以下のとおりであった。

　　　人口減少がつづくなかでも，北海道のニセコや一部の離島を中心に地価上昇地点が観測されている。和歌山県においても半島先端部で人口が増加している。

　　　今まで，不便さが前面に出てきた地方都市だが，ネット環境の整備や都心への閉塞感，過剰感などがつのり，インバウンド客が増加中の地方にこそニーズが高まりつつある。

　　　こうした新しい波を地方の中心部に呼び込み，活性化を図るためには，市民・行政がともに「自ら分析し，目的を共有し，動く」ことが大きな転機となる。追い風をとらえ実際に動くために格好の波が，いままさに訪れている。

　　　本書は，こうした地方都市の新しいベクトルについて，最新の手法・事例を紹介し，解説していきたい。

　しかし，2020年に入って新型コロナウイルスにより世の中が一変した。上記の企画で重要な役割を果たすはずだったニセコの事例はインバウンド型であり，6月時点でインバウンド客が99.9%減少²⁾している日本ではしばらくの間，適用ができない（本稿執筆の11月末時点では国内観光客は戻りつつある）。

では，インバウンドに依存しない再生策はあるのかという点だが，実は
こちらのケースの方が多いことに改めて気づかされた。その一例が，奈良
県桜井市の周辺地区人口（需要）を重視した事例であり，地域商社を立ち
上げ，ライチの生産なども手掛けている宮崎県児湯郡新富町の財団の事例
であり，県内観光客をかねてより重視してきた新潟県新発田市の月岡温泉
等の事例である。すべてが「ローカルファースト」を理念に活動をされて
いる。

　コロナ禍は地域商業や観光産業を直撃している。しかし，これらの産業
は，間違いなくポストコロナの時代，つまり数年後に再びインバウンドが
到来したときに，必要となるはずの産業である。決して倒産させてはなら
ないのだ。

　そのことを胸に本書を執筆した。

　特に本書では，①丁寧な周辺商圏（特に１キロ圏）の分析，②ピンチに
なった時の代替策の模索（地域経営オプション），③精度の高い経営分析
（ライバル分析など）とその事例紹介を行っている。そして，そのための組
織づくりの必要性について述べた。すべてまちづくりの５要素（組織，コ
ンテンツ，お金，情報発信，土地（空間））の視点を軸に，それらの「変化」
に着目し上記の重要項目を取り上げた。

　ところで，2000年代に入り，あたらしいまちづくりのあり方として「エ
リアマネジメント」活動が注目されるようになった（表１参照）。その歴史
は2002年の都市再生特別措置法の制定にさかのぼる。当初は国際競争力を
つけるために大都市を中心とした「重点都市」の再生が対象であったが，
今では国内の多くの都市に対象が拡大された。

　その理念は，まちづくりを漠然とした広範囲でとらえるのではなく，重
点「エリア」を定め，「マネジメント」することにある。なお，ここでの
エリアは中心市街地，観光地なども含め多岐にわたる。本書では基本的に

表1　エリアマネジメント制度の形成

年	エリアマネジメントの展開	内容
2002	都市再生特別措置法の制定（国土交通省）（対象区域：都市再生整備計画区域）	優先順位の高い都市を指定し，中心市街地を含む市街地整備を行う。エリアマネジメントの萌芽期
2014	まち・ひと・しごと創生本部の設置（内閣官房）	コンパクトシティ，安心して生活ができる地方をつくるための施策　第一期（2015年から2019年）
	新たな時代の都市マネジメント小委員会の設置（国土交通省内）	エリアマネジメント制度の推進
	市町村におけるコンパクトなまちづくりを支援するための立地適正化計画に関する制度の創設	コンパクトシティ化の推進を提唱
2016	まちづくり活動の担い手のあり方検討会の設置（国土交通省内）	エリアマネジメントを人材面で推進
2019	地域再生エリアマネジメント負担金制度ガイドライン	まち・ひと・しごと創生本部事務局（内閣官房）内閣府地方創生推進事務局が作成
2020	第2期「まち・ひと・しごと創生総合戦略」	2020年から2024年まで（第一期より継続的に実施）
2020	新型コロナウイルスの発生	エリアマネジメントはどのような変化を遂げるのか（本書）

地方都市を念頭に置いている。

またこの「エリアマネジメント[3]」組織の特徴は「民間」が主体である点にある。ゆえに株式会社や社団法人などの形態をとる。

地域の「場所」のマネジメントを重視し，民間が主導で拠出金を出し合い，ばらばらだった「個」の活動を面にしてくれる活動である。「面（エリア）」の活性化を重視しているので，都市計画や道路の利活用などとの連携を重視している。今後はエリアそのものの衛生の向上（リスク管理）が問われるので，エリアマネジメント活動，エリアマネジメント組織の役割はより一層重要となろう。民間が主体なのでリスク回避へのアンテナは鋭い。

本書では，With コロナの時代に必要な知恵，まちづくりの一部の手法である民間主導のエリアマネジメントに関するさまざまな手法を紹介して

いる。また，著者の専門である地域空間統計学の手法や人工知能（Artficial Intelligence：AI）についての紹介も行った。ただし，基本的には本格的な統計処理が苦手な人も読者の対象としているので，一部，電卓で計算できる手法の紹介も行った。

その理由は，まちづくりに携わるすべての皆さんに読んでいただきたいからである。

まちづくりは専門家や行政の専売特許ではないし，現在そこに住む市民だけのものでもない。そこに訪れる，世界各国，そして未来の子どもたちのものでもある。

しかし，With コロナの時代には，特にさまざまなリスク管理が必要となるだろう。そのあたりを中心に，また，３密を回避しながらも収益性を高める工夫の数々を紹介している。そして，その先に今まで以上に経営効率の良いまちづくりの時代が到来すると考えている。

本書の構成について簡単に触れておきたい。

第１章では，これまでのまちづくりとこれからのエリアマネジメントについて分析を行っている。特に With コロナの時代に求められるまちづくりとその手法であるエリアマネジメント方式，についてまとめている。

第２章では，With コロナの時代のエリアマネジメントの方向性について既存文献，議論をまとめている。

第３章では，With コロナの時代の経済，経営理論についてまとめた。ここでは特に，遠隔地との交流が難しいことから近隣地区の商圏の把握や，リアルオプション（経営上の選択肢）の準備などについて説明を行った。

第４章は商圏マーケティングを含め効率的にまちづくり組織を運営している組織（奈良県桜井市，福井県福井市，宮崎県新富町）を紹介した。

第５章は，With コロナ期で特に重視されるであろう国内観光客と地域との関係，また地域人口を増やすための戦略（アウタータイプの再生策）などについて述べている（和歌山県和歌山市，新潟県新発田市，新潟県新潟市，

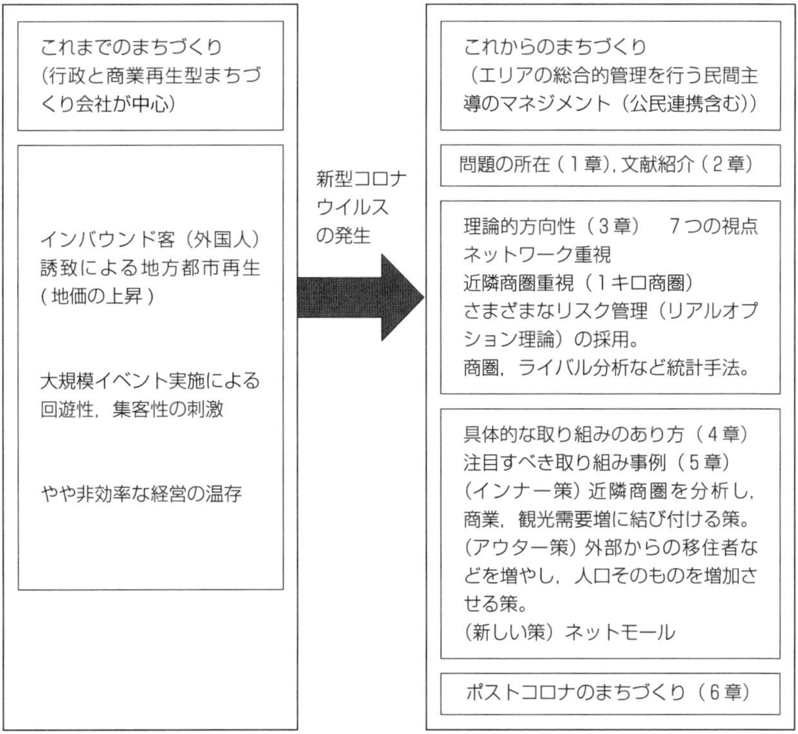

これまでのまちづくり （行政と商業再生型まちづ くり会社が中心）		これからのまちづくり （エリアの総合的管理を行う民間主 導のマネジメント（公民連携含む））
	新型コロナ ウイルス の発生 →	問題の所在（1章），文献紹介（2章）
インバウンド客（外国人） 誘致による地方都市再生 （地価の上昇） 大規模イベント実施による 回遊性，集客性の刺激 やや非効率な経営の温存		理論的方向性（3章）　7つの視点 ネットワーク重視 近隣商圏重視（1キロ商圏） さまざまなリスク管理（リアルオプ ション理論）の採用。 商圏，ライバル分析など統計手法。
		具体的な取り組みのあり方（4章） 注目すべき取り組み事例（5章） （インナー策）近隣商圏を分析し， 商業，観光需要増に結び付ける策。 （アウター策）外部からの移住者な どを増やし，人口そのものを増加さ せる策。 （新しい策）ネットモール
		ポストコロナのまちづくり（6章）

図1　本書の構成

香川県高松市，徳島県美波町の事例など）。

　第6章は「ポストコロナ」の時代を見据えつつ，全体をまとめた。

　Withコロナの時代はやがて過ぎ，ポストコロナの時代になるのもそれ
ほど先のことではないだろう。しかし，この時期＝インバウンド客がほぼ
皆無で，3密対策が必要＝というハードルを乗り越えた先に，「非常時を
乗り越えたという自信」が地域に芽生え，日本経済が最も苦手としている
潜在成長率を高めるものと考えられる。

　まだまだ足りないところがあるかもしれないが，本書を読んで地域住民
の皆様への活力となれば幸いである。

■ ■ ■

●注 ─────────────────────────────────────

1）ローカルファーストを基本理念に事業を営んでおられる茅ケ崎商工会議所会頭の亀
　井信幸さんからは実に多くのアドバイスをいただいた。ここに改めて謝意を表したい。
2）日本政府観光局（JNTO）「訪日外客数（2020年7月推計値）」2020年8月21日
　（https://www.jnto.go.jp/jpn/news/press_releases/pdf/200821_monthly.pdf）。
3）政府（国土交通省）は，エリアマネジメントについて「地域における良好な環境や
　地域の価値を維持・向上させるための，住民・事業主・地権者等による主体的な取組」
　と定義している（国土交通省　土地・水資源局「エリアマネジメント推進マニュアル」
　2008年）。

目 次

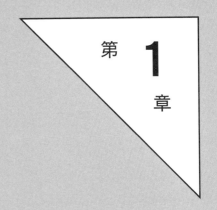

第 **1** 章

With コロナの時代のまちづくり

──今，まちで何がおきているのか──

はじめに

2019年12月に中国の武漢で発生したといわれる新型コロナウイルス（COVID-19）であるが，これからのまちづくり・都市創生の方向性を大きく変えようとしている。

経済自粛，3密の回避，観光・外食・交通経済への打撃など多方面で深刻な影響がでている。

当初は人から人への感染はしないとされていたが，その後，急速に人から人へと感染が拡がっていったことがわかってきた。日本の感染者も2月の段階では顕著となり，当初は特定国からの旅客者を中心に拡がっていたと思われていたが，2020年12月下旬時点では，日本でも約20万人ほどの感染が観測されている。新型コロナウイルスの特徴として，感染初期においては倦怠感，微熱や悪寒などを感じるが，その後37度5分以上の発熱がみられる。発熱が確認されて以降は，肺炎を発症し，免疫不全状態に陥る患者もいる。現時点では，約8割の感染者は軽症といわれているが，2割については重症化する。重症化すると人工呼吸器などが必要になる。新型コロナウイルスは，ウイルスゆえに細胞隔壁を持たず，たんぱく質などの中で移動を行い，体内に侵入した場合には自らのDNAを複製し，その数を増やしていく。多くの治療薬はこの「複製」を阻害する役目を果たすことで症状を緩和させる。

困ったことに，この手のウイルスは治療が簡単ではない。常に進化しており，また完全に克服できるようなものはインフルエンザでも見つかっていないからだ。こうして考えた時に，今後このコロナウイルスとの共存を考えるような都市システムが必要になるであろう。つまり，インバウンド客の誘致をはじめ，交流やイベントを中心としたまちづくりなどは大きな修正を余儀なくされる。

本書では，新型コロナウイルスによってもたらされた With コロナの時

代のまちづくり，特にエリアマネジメントについて考えてみたい。

1　新型コロナウイルスの経緯と経済的影響

緊急事態宣言と経済自粛

　こうした「治療薬がない病」に対しての方策はいわゆる都市封鎖などに代表される「外出自粛」「営業自粛」等が中心となるのも事実である。

　2020年4月7日，安倍晋三首相（当時）は緊急事態宣言を発出した。これは新型インフルエンザ等対策特別措置法をベースにしたもので，翌8日から5月7日までの間，7つの都府県に対し知事名で指定され，その後5月27日まで緊急事態宣言は延長されることとなった。

　しかし，日本の場合，諸外国でみられるような外出時における罰金措置を伴う都市封鎖策ではなく，「ゆるやかな」都市管理策を採用することとなった。つまり，政府は，会社や飲食店等の営業については「自粛」を要請するが，それに対し補助金等を支払うことは約束していなかった。イギリスなどの場合は，一定の営業収入額以下の事業者の場合には一律正常時の80％程度を保証するというものであるが，日本の場合には世論に後押しされる形で，無利子・無担保融資枠拡充や持続化給付金，雇用調整助成金，また家賃補助策等が実施されることとなった。さらに，国民全員に10万円を給付する措置も実施された。

第2波の到来

　しかし，自粛が解除されて間もない7月に入ると今度は3月の段階をはるかに凌ぐいわゆる第1波後期（6月以降10月ごろまで）[1] が早々とやってきてしまった。また，第1波後期がいつから空間的に拡がったのかについては，空間的相関分析を実施した「補論」を参照されたい。

　当初は感染者数が最も多い東京都はPCR検査数の増加を理由に感染者

数が「比例的に」増加した，としていたが，「陽性率」も増加していることから，単に PCR 検査の増大だけが「感染増の原因」ではないことがわかった。

　各自治体は 8 月より再び一部の地域に絞り営業自粛要請を出したが，4月の段階での緊急事態宣言からはかなりトーンダウンした形での営業自粛となった。

感染症対策と経済の両立——With コロナの時代に——

　4 月の緊急事態宣言が効果的ではあったものの，それが劇薬だったこともあり，政府もいわゆる第○波が到来した場合には全国的な自粛要請の判断ができない。政府が緊急事態宣言を出さない根拠は「（7 月時点では）感染者には重傷者が少なく，医療提供体制も余裕がある」とのことだったが，軽症の患者が急増し，無症状・無自覚の若者が高齢者に接した段階で重症者が増加する可能性は高い。

　いずれにせよ，仮にワクチン接種策が功を奏したとしてもこうした新型感染症が新たに発生する可能性もある。今後は，常にこうした新しい脅威と共存しなければならない。

2　今後の都市政策の転換

　With コロナ時代のまちづくりについて考えたい。4 月 7 日に緊急事態宣言を発出した段階では，未知なる状況だったので，全域に対し経済自粛・行動自粛要請を出した。いわゆる最初の波の段階では，日本全国一斉に外出抑制などを行うことで「動かない」→「感染しない」という感染症学の視座に従い感染者を減少させることに成功した。ウイルスは人から人へと感染するので「人が動かない」状態では感染しないのは自明といえる。この結果，約 1 カ月ほどで感染者数は激減した。しかし，この手法の弱点としての「経済的ダメージの大きさ」がその後明らかとなってきた。

　実際にこの間，経済自粛に伴う各種補償の総額はすべて政府の国債発行と地方自治体の基金の取り崩しなどでまかなわれてきた。特に気になるのは，新規国債発行額の急激な増大である。4月7日からの営業活動の自粛については，① 持続化給付金（最大200万円まで）と，② 家賃補助（「単月当たりの売り上げが昨年同月比で5割減った」ないし，「3カ月の売上合計が昨年同期に比べ30%減った」などの場合には家賃の3分の2が助成（半年間））がなされることとなっている。さらに，③ 店の休業者に対しての「休業補償」など，をまかなうために膨大な額の国債が発行されることとなった（第2次補正予算を含む）。

全国規模の自粛策が採用できない理由

　国債を発行し続けると，市中に流通するマネーの総量があふれインフレになる可能性が高い。実際，名古屋大学教授の齊藤誠は「今回の国債増発でハイパーインフレが起こるとは考えていない。しかし，短期間に（物価）水準が2倍，3倍になる可能性はある」と極端ではないレベルだがインフレになる可能性を指摘している。[2]

　近年では無制限の財政ファイナンスの正当性を主張する現代貨幣理論（Modern Money Theory，通称 MMT）などが登場しているが，現実的とはいえず無尽蔵の借金はやはり危険といえよう。[3] この点について，佐藤主光は，[4] 生産活動が滞るとモノ＝供給が不足し，カネに対してモノが足りない状態＝インフレになる可能性を指摘している。さらに，財政ファイナンスに依存して，インフレが起きれば，すべての家計にとって甚大な負担になる，と警告している。

　日本国債は日本銀行が買い取ってはいるものの，消費者が「突然物価が上昇した」と認識した場合はハイパーインフレの可能性も否定できないであろう。政府が営業補償をセットにした自粛要請ができない一因はここにある。

3　あるべき都市政策の方向性

　これからは With コロナ状態が常態化し，日本全体に再度緊急事態宣言を出すようなケースはよほどのことがない限りはないであろう。

　今後採用すべき政策とは何か。

　第1の処方箋が，行政機関における計画的な PCR 検査の実施である[5]。海外で最も早く鎮静化に成功したといわれる中国や韓国はすでに SARS などを経験しているが，今回もその時の対応策に習い徹底的な PCR 検査を実施している。日本でも実施すれば，医療体制が崩壊するとの懸念が指摘されているが，他国ではそのような現象は発生していない。また，都市再生分野に詳しい小黒一正は「感染拡大の抑制と社会活動・経済活動の両立を図るためには，全国民が希望すれば新型コロナウイルスの感染の状況を定期的に（2週間に一度程度）知る状況を作り，継続的に陰性の人々は安心して外出や仕事を再開できるような体制を作るべき」と指摘している。なお，その際に小黒は1日1000万件の検査を行う必要があるとしている（抗原検査や唾液で感染の有無を調べる PCR 検査用試薬などを含む[6]）。

　しかし，日本は，PCR 検査の要となる保健所数が不足している。1989年に850カ所程度だった保健所数だが，1994年に「保健所法」が「地域保健法」に改正され，一気に統合が進み，現在では469カ所まで減少したからである。しかし，「重症者治療」を優先させ，地域の医療機関（医師会など）への協力を要請すればカバーできるレベルといえる。むしろ軽症患者を隔離させるためのホテルなどの確保の方が重要であろう。

　ところで，日本の PCR 検査の現状はどうか。2020年7月末時点での PCR 検査数は全国で2万4000件（一日当たり）となっており，この時期の最大検査可能数3万5000件まで届いていない。今後は PCR 検査を増やし，陽性者は隔離（自宅待機ではない）すれば，理論上は急速に市中感染は減少するはずである。

図1-1　エリア別ローラー戦術

注）N-エリア（Nは Negative（陰性の頭文字をとったもの＝非感染者の多いエリア））。P-エリ
　　ア（Pは Positive（検査結果が陽性の意味。感染者が多いエリア））。

図1-2　全国ローラー戦術

　第2の処方箋が，PCR検査を増加させつつ，比較的安全な地域では経済活動を再開させることである。この点を簡単に図式化したのが**図1-1**，**図1-2**である。**図1-1**は，営業自粛エリアと営業継続実施エリアとを分ける戦略である（なお，**図1-2**が全国的な経済自粛を行った場合である）。

　中国やベトナムなどはまさに，この**図1-1**の方式（エリアの封鎖）に近い手法を採用しており，全国一斉の封鎖はしていない。PCR検査＋陽性者隔離を徹底させた結果，陽性者数の減少が顕著にみられる国の典型であり，この手法こそが新型コロナウイルス感染者を減少させる唯一といってよいほどの策といえよう（ただし，社会主義体制の国に多い）。日本の場合は民主主義体制のもと，この**図1-1**方式に近い手法を採用するというものの，PCR検査数がまだまだ少なく無自覚陽性者を把握しきれていない点，また軽症者などの囲い込み（隔離）が完全ではない点が課題として挙げられよう。

　実際，海外，アメリカのアリゾナ州の事例ではすべての店舗を封鎖するのではなく，「クラスターの舞台になることが多いバーや事務，映画館などのエリア」を再び閉鎖した（エリア別ローラー戦術の採用）。ニューヨーク

でも「レストラン」「バー」などをピンポイント「エリア」として閉鎖している。この結果，感染拡大はとまり，新規感染者は3000人を割り込んでピーク時の半分になった[7]。

　すでに大阪市内でも適用されているが，P-エリアにおいては徹底的にPCR検査を実施し，感染者については一時的にホテルなどに滞在（囲い込み）してもらい，そうでない人は経済活動を実施させるという手法である。すでに述べたように，陽性患者数が減少している国ではほぼこの手法を採用しているといってよい。先述のようにこのような手法に近いものは，すでに東京都，大阪府などで先行して一部実施されている。東京都では，2020年8月3日から31日まで営業時間を午後22時までに短縮するよう要請した。大阪府は5人以上の飲み会を控えるよう要請し，愛知県は人数の多い宴会，夜の会食の自粛を県民に呼びかけた（同年8月31日まで）。東京都や大阪府，愛知県はこのようにまずは「店舗の自粛要請」という形をとりつつ，この間，PCR検査の量を増大させるものと考えられる（その後，11月からの全国的な感染拡大のもと，同様の自粛要請を再度行うこととなった）。こうした手法は，しかし，感染が発生していると思われる場を「飲食店」と決めつけている点にまだ課題がある。実際には「無症状患者」が会社や通勤などでも第三者に移している可能性は否定できない。ゆえにやや広い範囲を取って「エリア決め」してPCR検査数を増やす必要があろう。

4　今後のまちづくりの影響と政策

　今回のコロナ禍は極めて多くの産業に影響を与えている。財務省が実施した調査（3月中旬から4月中旬）によると，すでに4月の時点で製造業などは輸出の減少などの影響が発生し，また，非製造業分野ではインバウンドの減少が顕在化していると指摘している（図1-3参照）。

　また，外食産業（飲食）については3月の落ち込みが大きく，ファーストフード店以外は20％から30％程度にまで売り上げが落ち込む店舗が多発

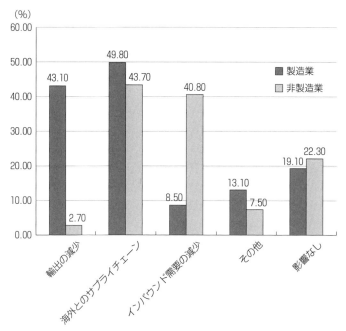

図１−３　新型コロナウイルス感染症による企業活動への影響
注）回答者数1370社（複数回答可）。
出典）財務省「新型コロナウイルス感染症による企業活動への影響とその対応（財務局調査）」2020 年 4 月 27 日（https://www.mof.go.jp/about_mof/zaimu/kannai/202001/singatakoronavirus097.pdf）。

した（**図１−４**参照）。観光産業に至っては，４月の段階で前年同月比で99.9%減となっている（**図１−５**参照）。

　これらの図が示すように，製造業もさることながらより影響が深刻化しているのは外食産業，エンターテインメント産業，そして観光業であろう。この点について2020年２月から４月までの倒産履歴を分析している宮川大介[8]は，（コロナ禍により）需要減少の影響を強く受ける特定業種（宿泊業・飲食サービス業）において特に「退出圧力」が顕在化した点を計量分析により示した。

　１次産業をのぞく中小企業従事者は3220万人で，その中で飲食，サービス業が360万人と１割がこの分類に属する。娯楽・サービス業は５％であ

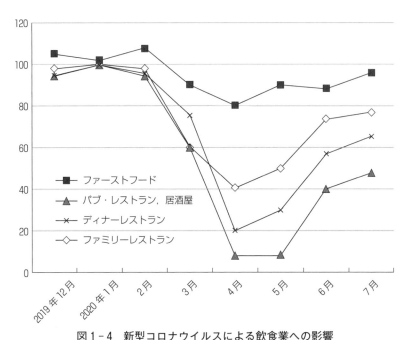

図1-4　新型コロナウイルスによる飲食業への影響

出典）日本フードサービス協会　同協会が会員企業を対象に毎月行っている市場動向調査結果をもとに作成。

り，つまり人数的にこの合計が15%と多い。2020年6月時点では，この層すべてにおいてコロナ禍の影響で売り上げが半減しており，早急な救済策が求められた（観光業などは80%以上の売り上げが下落した（3月から6月））。

小売業の場合

2019年の商業販売額を業態別にみると，小売業は145兆420億円（前年比0.1%増），卸売業は315兆270億円（同3.5%減）となった。[9]商業販売額の合計は460兆690億円であるが，付加価値額は68兆円となっている。

このうち，全国の売り上げがマイナス100%が1カ月間，マイナス3割が4カ月間減少したと仮定した場合（3月から6月まで，以降は一程度回復），1年間で2割2分の年間売り上げ減少が予測される。この部分（付加価値ベース）の半額を政府が助成金として補てんした場合には8.1兆円の財源

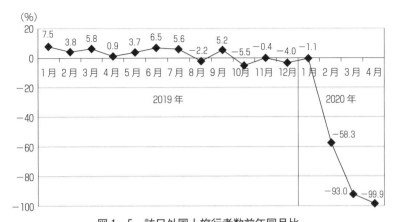

図 1 - 5　訪日外国人旅行者数前年同月比

出典）観光庁「令和 2 年版観光白書について（概要版）」2020 年 6 月（https://www.mlit.go.jp/
kankocho/content/001348279.pdf）。

が必要となる（国民一人当たり 8 万円）。

　なお，宿泊や飲食は中小企業の雇用の 2 割を占め，もともと手持ち資金
が厳しい状況といえる。法人企業統計調査（財務省）では，1000 万円から
5000 万円までの資本金のいわゆる中小企業は，手元流動性が売上高の23%
程度しかない。飲食は12%程度。つまり，1.5カ月程度である。宿泊業も
20%であったので，2.5カ月程度の手持ち資金しかないために，その間は
融資でつなぐような策が実施されている。

5　今後のまちづくりの方向性と本書の構成

　ところで，本書の課題である「今後のまちづくり」はいかなる方向へと
向かうのか。

　近年，「エリアマネジメント」という民間主導のまちづくり手法がより
注目を集めているが，このエリアマネジメントとは「**地域のまちづくりを
民間主導で行う行為**」のことをいう。民間主導ゆえにきめの細かいまちづ
くりへの配慮もある。また，冒頭に述べたように，With コロナの時代に

は「エリア全体のマネジメント」に加え「エリアの総合的なリスクマネジメント」が極めて重要になる（詳細については第2章，コロナ対策については香川県高松市の事例（第5章）を参照）。

　この点について，特に以下2点を指摘したい。

　第1に，今後の環境変化を踏まえリスク対応を適宜実施しなければならないという点である。本稿執筆の11月末時点で再び感染者が急増している。さらに，世界全体でも収まってはいない。ゆえにこれまで地方の活性化に寄与してきた外国人インバウンド誘致はしばらくは難しい。そのため，観光については徹底的な国内客，近隣住民をターゲット需要層として掘り起こし，市民の購買意識を高める必要がある。本書では特に中心市街地周辺の1キロ圏（第3章（理論），第4章（事例）参照）などを重視しているが，このターゲット変化への意識改革こそが必要だ。また，地域そのものの人口を増加させる必要もある。いわゆる地方への移住や企業誘致がより一層重要となろう。さらに，個別リスクへの意識化も必要である。それぞれのリスクには必ず対応法が存在する。この対応法のそれぞれをオプション（選択肢）と呼び，そのオプションを系統立って政策や経営計画に位置付ける必要がある。1990年代後半から新しい経営手法として注目されたリアルオプション法（ファイナンス（金融）・オプションと比較するうえでリアル（実物資産等）なオプションという意味）の適用が極めて有用だ（第3章参照）。

　第2に，感染症の時代に適応した生活スタイルの工夫である。

　この感染症は，人との接触により発生する。ゆえに接触を必ずしも前提としないようなまちづくりへの工夫が必要であろう。そのためには，3密回避，そのためのIOT（Internet of Things（モノのインターネット））の活用，近隣観光，ソーシャルディスタンスの確保などが必要である。しかし，これらはすべて，既存の観光産業，外食産業，製造業までにも大きな負の影響を与えてしまう。成長率0.5％程度の低成長経済率を前提に過ごすことが要求されるであろう。しかし，低成長ではあるものの，そのパイ（市場参加者数の増加）を増やすことでGDPそのものを上昇させることは可能で

ある。

　例えば，本書の後半で少し触れるが，「間借り」と呼ばれる手法等はどうだろうか。これは例えばレストランのシェア等に代表されるようにここ10年ほどで全国的に増加している。昼間はランチレストラン，夜はバーなど経営主体を変えることで「2つ」の経営主体が参加できる。

　こうした工夫によりこれまで市場に参加しなかった層の参加が望まれるのだ。思えば，日本は空き地や空き家がきわめて多く，有効活用がなされていない。その代表が地方都市である。地方都市の空きビル，空きホテルなどはきわめて多い。いわば，With コロナの時代においてはうまくこうした既存施設を利用しながらの再生が求められる。

　さらに，3密を回避するには地方都市への移住も選択肢となる。そのための受け皿となる産業も必要である。

　例えば，大学などのリカレント事業（再教育）などを通じて IT の専門家を地方で養成する。自ずとこうしたニーズは発展途上であり，教員が足りていない。この部分だけとっても地方で何かができそうだ。すでに福井県鯖江市などでは IT 教育事業等がスタートしている。

　本書では，事例などを交えながら With コロナの時代に必要な知識と具体的な技術を提示することを目的としているが，できるだけ地域で応用が可能なものを集めた。参考にしていただけたら幸いである。

おわりに

　本章では，本書のイントロダクションとして With コロナの時代の地域再生，まちづくり，エリアマネジメントの方向性について考えた。

　はたしてこのような時代，どのような地域再生の手法が望まれるのか。

　まず，大きな視点として今後こうした感染症が発生し続けるケースを想定して，一極集中型の地域政策から分散型（地方重視）の地域創生策に軸足を移す必要があろう。

2020年12月上旬時点でも，東京都では500人を超える感染者が確認されている。いったん収まったように見えたコロナウイルスはやはりどこかに潜んでいる。

　おそらく，多くの医療専門家・感染症専門家が指摘しているように，第3波以降も来るであろう。2020年12月時点でイギリスなどでワクチン接種がスタートし，事態の沈静化も予想されるが，今後10年のスパンではこのウイルスが進化し別のものが生まれるかもしれない。その際に，遠隔型のシステムを用いることは当然ながら重要となるが，同時に過度に大都市に依存している現状の都市政策を変えるべきである。

　そして，インバウンドのみに依存しないような観光まちづくり体制も整えておくべきである。これまでは，インバウンド重視で地域再生をとらえてきたし著者もそのような主張をしてきたこともあるが，このようなウイルスが登場するリスクを想定していなかった。

　リスク対応に関する対処法の紹介は第3章に譲りたいが，いわゆるさまざまな「オプション（選択肢）」を準備するようなまちづくり，エリアマネジメントが必要であろう。つまり「地方の持つ潜在的優位性」を徹底的に活用するという「オプション」の存在に気づく必要がある。

　第2章以下では，With コロナの時代のまちづくりのあり方について論じたい。

補論　モランのIに見る新型コロナウイルスの第2派

　都道府県へのコロナの拡散（地域相関）がいつから統計的に始まり，沈静化し，また始まったのか。ここでは，空間計量経済学における「モランのI（空間的相関を見る統計量）」を見てみたい。

　モランの統計量とは，エリアとエリアの相関の存在についてみるもので，以下のように定式化がなされる。[10]

$$I = \frac{1}{w} \frac{\sum_j^n \sum_j^n (w_{ij})(y_i - \bar{y})(y_j - \bar{y})}{\sigma^2} \cdots \cdots \tag{1}$$

　モランの統計量（1）式 n 個の地区からなる対象地域において，それぞれの地区で観測される空間事象の属性値，y_i が与えられた場合，$\bar{y}$ はその平均値，w_{ij} は地区 ij の近接性を示す空間近接行列「W」の i-j 成分をそれぞれ意味している。

　本ケースでは，例えば，東京都から埼玉県，千葉県へと感染者が関係しながら増加した場合の「地域から地域への空間的相関（感染）の強さ」について調べることとした。つまり，モランのIの統計的有意性（p 値）が0.05より低い場合は，統計的に有意と考え「新型コロナウイルスの感染の空間的相関がある」と考える。

　図 補1-1 はその結果を示しているが，縦軸がモランのIの p 値，横軸が時間軸を示している。なお，感染者の日々データは，厚生労働省の「新型コロナウイルス感染症に関する報道発表資料（発生状況，国内の患者発生，海外の状況，その他）」を参照した。[11]

◎　結果分析

　分析結果を見てみよう。

　第1に，4月7日の時点では，コロナウイルスが各地域に拡がっていたが（空間的自己相関），緊急事態宣言後の4月21日の時点では収まっていることがわかる。

　第2に，その後，6月20日までは，空間的自己相関は観測されなかったが，6月21日には相関がみられた点に注意が必要である。コロナウイルスに罹患してから症状が現れるまでを2週間とすると，6月7日頃から感染が再度広がってきている（空間的自己相関）ということになる。5月27日には緊急事態宣言は解除されたので，解除したその10日後（直後）には拡散が始まっている。

　上記の結果をまとめると，新型コロナウイルス感染の第1波は，6月時点でいっ

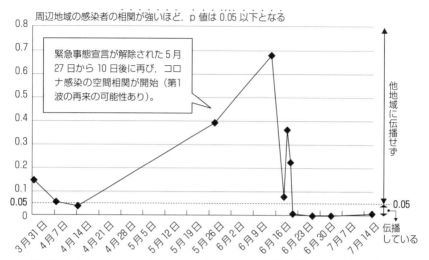

図補1-1 3月31日から7月14日までのコロナ感染者数の他地域への相関
(モランのIの統計量のp値(縦軸))

たん収束したように見えたものの,実際には収まっておらず「緊急事態宣言」による自粛が第1波を「ハンマーでたたく」かのように一時的に抑えていた可能性がある。

この仮説が正しければ,感染が徐々に収束しつつある9月末時点が「真」の第1波の収束時期である可能性が高い。

なお,スペイン風邪の場合,5カ月程度の時間を経て第2波,さらに3カ月ほどして第3波が到来している点にも注意されたい。

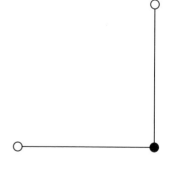

■　■　■

●注 ─────────────────────────────────

1）著者による空間的な感染者の相関分析では，9月上旬まで「第1波」が続いており，緊急事態宣言はこれを少し弱めたにすぎないと考えられる（補論参照）。

2）齊藤誠「羊飼いの沈黙──「破綻」警告は空振りでも──」2020年7月28日付『朝日新聞』（朝刊）（一部著者が加筆）。

3）MMT の包括的な批判については，ロバート・フェルドマン『未来型日本経済最新講義』文藝春秋，2020年，p. 61。

4）佐藤主光「第4章　コロナ経済対策について──財政の視点から──」（小林慶一郎・森川正之編『コロナ危機の経済学──提言と分析──』日本経済出版，2020年），p. 87。

5）PCR 検査を増やす点については批判的な意見も多い。検査の翌日に感染した場合に意味がない，などの批判である（https://www.asahi.com/articles/ASN722S8VN6SUEHF003.html）。

6）小黒一正「第5章　迅速な現金給付と「デジタル政府」の重要性── COVID-19の出口戦略も視野に──」（小林慶一郎・森川正之編『コロナ危機の経済学──提言と分析──』日本経済出版，2020年），p. 107。

7）2020年7月30日付『日本経済新聞』（朝刊）。

8）宮川大介「第14章　コロナ危機後の行動制限政策と企業業績・倒産──マイクロデータの活用による実態把握──」（小林慶一郎・森川正之編『コロナ危機の経済学──提言と分析──』日本経済出版，2020年）p. 249。

9）経済産業省「商業動態統計」2019年12月（https://www.meti.go.jp/statistics/tyo/syoudou/index.html）。

10）大井達雄「Moran の I 統計量を使用した地域観光入込客の空間パターン分析」（『研究所報』（法政大学日本統計研究所），No. 47，2015年），pp. 245-263。

11）https://www.mhlw.go.jp/stf/seisakunitsuite/bunya/0000121431_00086.html。

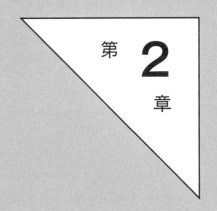

With コロナのまちづくり論

──変わらぬ部分，変わる部分──

はじめに

　With コロナの時代をわれわれは初めて経験している。インバウンド客数の回復が当面期待できない現在，まちづくりの既存理論も修正を余儀なくされる。しかし，従来の理論も今後のまちづくりの方向性を理解するのに十分な視座を提供してくれる。大事なのは，既存理論，経験のどの部分を，With コロナの時代にどのように活用するか，であろう。実際に，過去10年ほどのまちづくりに関する理論の主流は，人口減少社会を前提とした都市哲学の一つである「コンパクトシティ論」と「エリアマネジメント型」の都市再生システム（手法）とであった。政府もこれを後押しするように，エリアマネジメント組織の一形態として都市再生推進法人の設立などを呼びかけ，また立地適正化計画（2014年）と呼ばれるコンパクトシティ推進計画（居住機能や医療・福祉・商業，公共交通等のさまざまな都市機能の誘導により，都市全域を見渡したマスタープラン）を提唱していた。

　本章では，従来の「まちづくり論」の５大要素ともいえる「ビジョン」，「ヒト（組織）と財源」，「コンテンツ（サービス等）」，「情報発信」，「土地問題」に加え，これまで軽視されがちだった「リスク管理」などの視点を考慮した場合，With コロナの時代にその方向性はどのようなものになるのか，「変わらないもの」と「変わるもの」とについて論じたい。

1 　まちづくり 変わらぬ部分

（1）「場の理論」「ビジョンの必要性」

　そもそも，都市再生とは「生活の場の再生」に他ならない。地方であれ，都市部であれ，自分たちがかかわる「場」をより良いものにしていくこと，これが都市再生の原点といえる。With コロナの時代にもこの考え方は変わらないであろう。神野直彦はこの点について以下のように述べている。

　地域再生とは，これから始まる時代における人間の生活の「場」の創造にほかならない。それゆえに，ヨーロッパにおける地域社会の再生では，「サステイナブル・シティ（持続可能な都市）」を合言葉に進められている。ここで高らかに謳われているサステイナビリティ（持続可能性）とは，人間の生活の「場」としての都市の持続可能性である。つまり，「サステイナブル・シティ」とは工業の衰退によって荒廃した都市を，人間の生活の「場」としての持続可能性をめざす都市に再生しようとする動きである[1]。

　こうした地域生活の重要な「場」として，例えば中心市街地があろう。特に地方都市の中心市街地は，その歴史や伝統文化をも包括しており，都市再生の「場」として新型コロナのような感染症の有無には関係がなく重要である。

　ところで，今回の新型コロナウイルスで露呈した問題は，こうした「場」を発展させるために「どこが」組織的な主体となるか，つまり主体論が欠落している点である。4 月 7 日の時点では政府が主体で緊急事態宣言を出した。しかし，その後，8 月時点では「自治体」に多くの裁量が移譲されている。

　市街地の再生においても，居住政策を柱とするか，商業等産業再生を柱とするかで異なる。繰り返しになるが，より大事なのはどこが主体となってこうした政策を進めるか，であろう。

　まちづくり分野で議論になることが多いのが，この「主体論」である。この点について，清成忠男は，政府と自治体との関係性の基本について以下のように述べている。

　　地域のあり方は，超長期の視点に立って構想しなければならない。政策的に地域計画を策定する必要がある。ただ，地域政策には，2 通りが存在する。1 つは，国が政策主体となる場合である。いま 1 つは，地方自治体が政策主体となる場合である。前者は，マクロ的な視点か

ら資源の配分やインフラの整備を行うことになる。これに対して，後者は，もっぱら地域の利害を前提にして地域内での資源配分やインフラ整備を行うことになる[2)]。

　清成が指摘するように，マクロの視点での政策論は国が行い，地域固有の事情が多い部分は地方自治体がこれを担う，というなかば「当たり前」ともいえる点を再確認することは重要だ。

　本書では，まちづくりの主体は公民連携しながら民間が主に主体的に活動する「エリアマネジメント団体」が担うべきだと考える。コロナ禍においては，医療の提供等を含め，民間団体だけで手におえるものではない。特に自治体の休業要請により，多くの商業店舗等が休業せざるを得なくなったが，休業補償などについては行政からのサポートが不可欠といえる。

　本書では，まちづくりを行う主体については民間主導を強調するが，一方で公民連携も必要である。巨大なリスクに対しては公民連携が最も良い処方箋となる。

　さて，ここまで With コロナの時代においても変わらぬ「場所」の再生とそれを担うべき「主体」について確認を行ってきたが，続いて空間政策としてのコンパクトシティ論について述べたい。

（2）空間の集積理論　コンパクトシティ論

　近年まちづくりの分野で注目を集めているのが，「コンパクトシティ」という都市哲学である。人口減少を前提とした場合，これからの都市づくりは郊外への拡大ではなく，既存市街地の利用の充実化を柱とした方がよい（コンパクトシティ）。根田克彦はこのコンパクトシティの性質について，都市再生特別措置法，立地適正化計画と絡めて，以下のように端的にまとめている。

　　都市再生特別措置法の改正では，コンパクトシティを実現するために，住宅機能や都市機能の集約立地を推進する制度や交付金などによ

る支援，特例措置や税制措置が設けられた。この改正では，住宅や医療，福祉，商業などの都市機能の増進に寄与する施設の立地適正化を図り，これら施設の立地を一定の区域に誘導するために市町村が策定する制度として「立地適正化計画」が創造された。また，この立地適正化計画を策定するにあたり定める必要がある区域として，都市機能の立地を誘導すべき区域の「都市機能誘導区域」，居住を誘導し，人口密度を維持する区域の「居住誘導区域」も新たに設けられた。そして，都市機能誘導区域に立地誘導する都市機能やこれらの区域で実施される事業などに対しては交付金による支援や税制措置などがとられる。また，民間事業者による病院や幼稚園，保育所などの整備への補助や交付金による支援が設けられるなど，中心市街地への都市機能の積極的な誘導策やそれに対する支援が盛り込まれた。[3]

　近年では根田（2016年）が触れる「立地適正化計画」の重要性が増している。これは，コンパクトシティを推進するための道具ともいえる。立地適正化計画は都市の中心エリアに「都市機能誘導区域」「居住誘導区域」などを設け，またそれを誘導するための助成金を用意して都市のコンパクト化を推進させるものである。

　こうしたコンパクトシティ（＝立地適正化）の必要性については，人口減少，高齢化により地方都市の「郊外部」を財政的に維持できなくなった地方の財布の事情と関連している。青森市では，都市のコンパクト化の推進により今後の30年で約350億円の予算が節約されるとの試算を出している。[4]

　また，センセーショナルな作品として話題作になった『地方消滅』の中で，著者の増田寛也が以下のように指摘している。

　　地方中核都市より規模の小さい自治体においては，人口減少が進むなかで避けられないのが「コンパクトシティ」の考え方だろう。ただし，効率的，効果的にサービスを提供するための「守りのコンパク

ト」だけではなく，新たな価値を生み出す「攻めのコンパクト」をも目指すことが求められる。すなわち，コンパクトな拠点間を交通・情報ネットワークで結ぶ地域構造を構築することにより，行政や医療・福祉，商業などのサービス業の効率性や質の向上を図ることが必要だ[5]。

　また，近藤恵介[6]は，コンパクトシティ政策は局所的に密度を高めながら，各区域はネットワークでつながることで相互に強く依存しあうとして，次代の都市システムとして「避けて通れない（システム）」としている。また，コロナ禍においては，十分な感染症対策が必要とし，通勤時の需要平準化（和らげる）とその手段としての，テレワークや時差通勤の重要性を指摘している。

　一方で，コンパクトシティ論には批判もある。山下祐介はこうした考え方は地方の切り捨てだとして以下のように批判的に述べている。

　　〔そして，〕そうした状況——家族からも国家からも問題解決へと誘う道が見えない状況——を利用して，国民の間に「諦め」を誘発し，この国を何らかの方向に動かすためにこの「人口減少ショック」を使おうとしている人々がいるのなら，それはもっとも恥ずべきことといわねばならない。後で見るようにここで議論され始めている「選択と集中」論は，「地方切り捨て」「農家切り捨て」「弱者切り捨て」に帰結する。もしそれを本当にしたい（しなければならない）というのならば，裏でこそこそせずに堂々と議論すればよいのだ。小さなようだがこうした微悪を見過ごすことが，私たちを本当の破局に向かわせる元凶なのかもしれないのである。[7]（〔　〕内著者補足，以下同じ）

　確かに山下が指摘するように，都市のコンパクトシティ化策は地方の議会においては人気があるものとはいえない。実際に，立地適正化基本計画が進まないのはこうした「地方切り捨て論」が市民や彼らを代表する地方議員の間で根強く，農家の意見を代表する政治家たちの存在もある。今後

は，３密回避の時代に都市のコンパクト化によってもたらされる人口集中（＝密）は避けるべき，との意見も出てきそうである。

しかし，少なくとも地方都市においては，人口密度が首都圏をはじめとする３大都市圏などと比べ，極めて低いケースが多く，満員電車による通勤も想定されていない。人口減少時代の中でコンパクトシティ化が財政的な節約など効率性の面で一定の説得力を有しているのも事実である。

With コロナの時代には，外食産業や観光産業再生など産業支援のために財政調整基金等の貯金が取り崩されるなど，財政負担はさらに重くなるだろう。この結果，地方財政がひっ迫する可能性は高い。コンパクトシティ政策の目的の一つは，都市機能の一定地区への集中化を通じて財政負担を減らすことである。山下の批判に配慮しながらも，その重要性については，より増すものと考えられる。

（3）土地開発からエリアマネジメントの時代へ

ところで，本書の冒頭で示したように近年エリアマネジメントと呼ばれる手法が注目を集めている。一昔前，まちづくりといえば区画整理事業が中心であったといっても過言ではない。しかし，これからは「開発中心」ではなく，先述したエリアの「利用，マネジメント中心」の時代となる。この点について改めて確認したい。

饗庭伸は重要な指摘を行っている。

> かつて，地域の価値をあげるために都市施設をつくり出す手法は，土地区画整理事業であった。人口増加社会において，土地の持ち主は，自身の土地の形を整え，そこに道路等の必要な都市施設をつくることで，自身の土地の価値をあげる。土地の持ち主は，増えた人口に土地を売却することによって利益を得，行政はその都市施設を公的投資なしに得るというかたちでバランスがとられ，土地区画整理事業は誰も損をしないように設計されていた。しかし，こうした手法が成立する

地域は減り，地方都市のＳ町においては，空き家や空き地の寄付に
よって必要な都市施設をつくり，地域の価値をあげることが目指され
ている。空き家の持ち主の「もう使わないから公的に有効活用してほ
しい」という弱いモチベーションと，都市施設を公的投資なしに得る
ということのバランスがとられ，土地区画整理事業と同様に空き家活
用まちづくり計画とランド・バンク事業は，誰も損をしないように設
計されている。[8]

　確かに，これまでの時代は従来型の数十億の資金計画と助成金による再
開発事業により，ある程度の都市のにぎわいは回復されたかもしれない。
しかし，With コロナの時代においては，すでに第１波，第２，３波対策
に多額の財政負担を強いられている。つまり，再開発型のまちづくりはそ
のコストの大きさから相応のリスクを伴うことに注意せねばならない。こ
のような環境においては，饗庭が示すように既存ストック，つまり空き家，
不動産の利活用型の「エリア」マネジメントこそが特に重要となる。
　つまり，「地域への民間の参加」「開発から利用へと，ソフト型まちづく
りへのシフト」が進む中で民間主導とエリアがキーワードとなるが，改め
て「エリア」にこだわる論拠とは何であろうか。この点について小林重敬
は以下のように述べている。

　　成熟都市の時代には，〔そのような〕インフラに変わって，「エリア」
　に関わる地権者，事業者，住民，開発事業者（ステークホルダー）など
　が創る社会組織によって地域の価値を高め，維持する「社会関係資
　本」を基盤とする仕組みが組まれ，ステークホルダー自らが負担して
　財源を生み出す必要性が認識されてきている。〔中略〕すなわち，以
　前はインフラ整備としてハードな「社会資本整備」が行われて地域の
　価値を高めてきたが，今日では，それに加えて，「社会関係資本構築」
　によるソフトな社会インフラ構築により，エリアマネジメント活動を
　進めて地域価値の向上を図る，新たな仕組みが加えられてきたと考え

られる。(傍点著者)[9]

　小林らが指摘するように「社会関係資本構築」によるソフトな社会インフラ構築が民間サイドに期待されているのである。従来のまちづくり組織は，例えば中心市街地の再生を目的とする場合，商業再生などに比重を置くケースが多かった。しかし，これからのまちづくりは商業分野はもちろん，空きスペースの管理（公園などを含む）や賑わいの創出など総合的なエリア管理・再生が求められる。行政はインフラ整備を行うが，その後のマネジメント，エリア全体の成長管理を行うなどの点については苦手な分野といえる。民間，市民の協力が必要な分野だ。まさにこの分野の主役がエリアマネジメント組織である。こうした社会インフラには安全，安心，衛生管理なども含まれる。

エリアマネジメント　組織と財源

　エリアマネジメントの具体的な組織像としては，行政分野との連携も考慮した「都市再生推進法人」が選ばれるケースが多い（社団法人などの形態をとる）。都市再生推進法人に認定されると，行政との公民連携のもと，都市計画分野に配慮したまちづくり計画を立案しやすくなる。

　エリアマネジメント組織の収入源としては，自治体からの補助金・委託金，会員等からの会費，イベントの開催等による自主財源，などがあるが，全体の3割程度のエリアマネジメント組織が財源不足を指摘していた。[10]こうした背景から，市町村が，地域再生に資するエリアマネジメント活動に要する費用を受益者（例，商店等など）から徴収し，エリアマネジメント組織に交付する官民連携の制度を創設することとなった（地域再生法の一部改正法案による地域再生エリアマネジメント負担金制度の創設，2018年2月6日閣議決定）。

　本稿執筆時点ではこの負担金の徴収を巡ってのガイドラインが作成され，制度の「見える化」が促進されている。[11]

また，ここで今後エリアマネジメント組織がかかわるであろう「ランド・バンク」について紹介したい。これは，公的機関やNPO（非営利組織）などが空き家や空き地などを取得し，周辺の土地を含めた地域を一体的に活用・再生する手法である。最近では，市街地や住宅地に未利用地・低利用地が点在して発生している。この結果，「スポンジ化」や「ドーナツ化現象」と呼ばれる非効率な土地利用（スポンジの穴やドーナツのリングのように不規則に穴が開くように土地が点在する）が増えてきている。こうしたスポット的な土地の散布をまとめ上げる手法としてランド・バンクの活用はより重要となるであろう。

　当然ながらエリアマネジメントはこうしたランド・バンクの創生にも一役を買っている。エリア全体の人の流れや，需給環境などのデータから上記の「スポンジ化」や「ドーナツ化」を防ぐための情報を提供する。

　これからは，従来の開発を中心としたまちづくりの時代ではない。財政が予算的に厳しい状況も重なって，空き家活用まちづくり計画とランド・バンク事業が今後は伸びていくものと考えられる。利用・活用の時代――エリアマネジメントがより一層重要となる時代――の到来である。

　さらに，コロナの時代においては，従来のエリアマネジメントに加えて衛生・消毒などコロナ禍特有のリスクマネジメント活動が加わり，これらは特に重要になるであろう。例えば，今後は重点エリアにおけるPCR検査が重要になってくるが，まちづくりを担う団体にも，行政サイド，保健所，地方衛生研究所などと協働しながら，PCR検査の促進や，検査結果の証明書等の発行，また消毒の一元管理などが必要となろう。

2　まちづくり　変わる新しい部分

　WithコロナのΙ時代。3密回避，マスクの着用，ソーシャルディスタンスの必要性が叫ばれる中，新しい商売・まちづくりが期待されている。以下，コロナ禍を受けたまちづくりの「変わる部分（マーケティング手法，情

報発信，土地問題，サービス，リスク管理)」について考えたい。

（1）With コロナの時代の新サービス（マーケティングの変化）

　まずは，まちづくりの中でも重要な部分を担う「商業まちづくり」，特にマーケティングの視点から変化すべき点について述べよう。マーケティングにはさまざまな意味が含まれるが，本書では特に，「新たなサービス提供をベースとした（周辺住民，観光客等の）誘引戦略」等を示す。コロナ禍前後で，この部分が大きく変化した。今後は，一定距離を保った店舗内構成（飲食店などのテーブル配置），また，密閉にならないイベントの実施，テイクアウトの促進，などが必要となる。特に客商売分野においてはさらなる工夫が求められよう。今後注目したい点が，例えば外食産業などで重要になる「収益率の向上」である。店舗のあり方の工夫として，木下斉は以下のような興味深い視点を示している。

　　〔効率性の観点から空き店舗をうめるために〕その前提で選んだ結果が，カフェであり，英会話教室とヨガ教室だったのです。いずれにも共通しているのは，モノやコンテンツを自らつくって売っていること，つまり「製造小売型」であるということです。それぞれの売上は小さくても，粗利は50%以上になるものです。[12)]

　確かに，ソーシャルディスタンスなどが必要とされるような社会では，今後の商売は，上記のような「コンテンツ同居型」による売り上げの効率化が必要となる。これは，もともと農業分野で注目を集めている6次産業化（1次産業（農業），2次産業（製造業），3次産業（販売，サービス業）を一人の農家が自分で行うことで収益性を増大させる）の商業バージョンともいえよう。第1章で述べた，大阪などで流行っている「間借り」という手法（一つの不動産物件を2社以上でレンタルする）も，With コロナの時代の商業効率化に貢献するであろう。

（2）情報発信，PR 分野での新しい動き

ところで，これからの時代は，店舗や地域の PR（宣伝，広報）が特に重要となろう。人びとは感染を避けるために家にこもりがちになるからである。

地域のメッセージを出すうえで特に気を付けるべき点について細野助博は以下のような指摘を行っている。

〔また，〕積極的な内と外に対する PR が重要となる。内に対してブランドが持つミッションとその品質維持の重要性を常に確認させ「愛着」を持たせる。外に向かっては常に珍しさや「希少価値」を宣伝することに始まり，マーケットの掘り起こしと維持拡充に向けてメッセージを出し「憧れ」を植えつけることだ。[13]

細野が指摘するように PR の際に（地域）ブランドが持つミッションの確認，また外部に対しその商品に「愛着」を持たせ，「憧れ」を植え付けることは重要であろう。特に With コロナ期においては非日常性を売り物とする「観光」に対する市民感情のハードルが高くなっている。よほどの「憧れ」がないと行動には移さない。これは一般の消費財（食料品など）とは大きく異なる。細野はすでにその重要性を指摘している。

さらに，SNS をはじめとしたネットの活用が重要である。

電通が2020年3月に発表した「日本の広告費」によると，2019年の国内広告市場は6兆9381億円となり，2012年にプラスに転じてから8年連続で前年を上回る結果となった。また，インターネット広告費は2兆1048億円で6年連続で二桁成長し，テレビメディア広告費（地上波テレビ＋衛星メディア関連）の1兆8612億円（前年比97.3%）を超えた。[14] こうした傾向は With コロナ期においてネット利用者が急増している現在，一層増加するものと思われる。

まちづくりの広報はまさに今までにない「強いあこがれ」を受け付けるような SNS マーケティングを求めている。

（3）土地取得コストでの新しい動き——応益家賃制度——

　続いてまちづくりにおける「コスト」意識について考えよう。With コロナの時代には多くの産業において，その収益が下がる。そんな中，重要なのは，土地の取得コスト（賃貸を含む）の低減化である。この点について，中沢孝夫は以下のような指摘を行っている。

　　　問題はコストである。駅前など旧中心市街地の空き店舗がなかなか埋まらない原因のひとつに，家賃の高止まりがあるのだ。
　　　もし持ち主が生活に困っているなら，家賃は下がるはずなのである。そうはならないところに「空洞化」の原因が潜んでいる。[15)]

　中沢はこのようにまちづくりにおいて，家賃の高止まり問題を指摘しているが，この点は重要である。コロナ禍において，収益が期待されない土地でも「家賃」「地代」が発生する，という問題がすでに顕在化している。従来，家賃や地代の論理的根拠はその土地に収益があるから，が前提のはずである。つまり，土地コストは収益に連動したものでなくてはならない。しかし，土地契約は年単位等，やや長期で行われるために，新型コロナウイルスの発生のような突発的な変化に対応できない。

　その結果，平穏だった時点で契約が結ばれた家賃はまさに高止まりして，上物業者の体力を奪ってしまう。そして，この「ギャップ」を政府の助成金などで補てんした場合，莫大な税金がつぎ込まれることになる。結局，家賃水準に変化はなく，この助成策は家主，地主救済措置となり，経済活動そのものは萎んでしまうのだ。

　少し以前の事例だが，著者が調査に訪れた福井市の中心市街地では商店街の空き店舗利用を促進するための興味深い試みが行われていた。商店街の一部空き店舗が多く発生しているエリアをまちづくり組織が借り上げ（地主が一定期間無償で提供），安価な家賃，1万円から2万円で応募者に1年間貸し出した（10店舗ほど）。その結果，マッサージ店2店，シルバー人材センターのサロン1店，大学のゼミ室，パソコン教室など，合計8店が

新しく店を開くことになった。空きスペースがほぼすべて埋まったといって良い。

　ここでは，地主の善意によって「一定期間無償」で貸し出されたためにまちづくり組織が中間に入るという形で土地が提供されたが，一般にはこうなるケースは珍しい。

　つまり，通常は「借り主が求める家賃（＝その空間での需要をベースとした家賃）」と地主が求める家賃との間にギャップがあるはずである。地主の求める家賃はどうしても私的な思いやヒステレシスと呼ばれるかつて家賃が高かった時代を忘れない傾向があり高止まりする（この点については拙著『まちづくりの個性と価値』（日本経済評論社，2009年）を参照されたい）。

　With コロナ期においての土地取得コストや家賃対策についても，収益に応じた家賃システムの構築（応益家賃制度という）が必要であろう。With コロナ期において，最も変わらなければならない部分の一つである。

（4）観光サービス①　観光戦略の新しい動き

　インバウンド観光客が99.9%減少してしまった現在（2020年7月時点）[16]，今後，しばらくは国内観光が重要となる。現在，政府は Go To トラベルキャンペーンを実施しているが，地域住民が地域の良いところを再発見することが求められる。そのためには「隠れた宝」探しが必要となる。

　つまり，まずは市民自らが地域の宝を再発見する必要があろう。この分野にはさまざまな先行文献があるが，With コロナ期に注目されるべきポップカルチャーの存在に着目をしたい。この With コロナ期において，芸能人の多くが YouTube に参入し，また音楽配信の売上・ダウンロード数も伸びている。一般的な，エンターテインメント産業（コンサート，ミュージカルなど）にさまざまな制約がかかる中，ポップカルチャーのネット配信は今後よりその重要性を増すであろう。ハイカルチャー（クラシック音楽や美術）と異なり，ネットの親和性が極めて高いのだ。

　この点において，佐々木一成が以下のような重要な指摘をしている。

　わが国が持つポップカルチャーの強みを観光振興に役立てる試みは，全国的に広がりを見せつつあるところだ。そして，それらは地域づくりと密接につながっていることが，大きな特徴である。日本独自の文化等を生かした付加価値の高い商品やサービスを，国内はもとより世界に発信し魅力を感じてもらう。ひいては，これがソフトパワーの育成・強化につながり，国際的な観光競争力を向上させていくものと思われる。[17]（傍点著者）

　この指摘自体は2008年になされたものだが，佐々木の指摘は色あせない。国内のポップカルチャー（むろん，さまざまな種類があるが）の魅力を再発見し，育て，海外に発信するということだが，さしあたり，この期に地域住民，国民が地域の魅力を再発見することが重要である。著者が教える大学生たちも，すでに地域の魅力について，彼らの世代のカルチャー（挿絵や音楽など）を通じてネット配信を行っている。

　そしてこうしたパワーを育てつつ，周辺地域の魅力をネット配信する作業こそが With コロナの時代には求められよう。つまり，現在は近隣観光推進をベースとしつつ，将来再来するであろうインバウンド客来訪時のための「準備期間」と考える。また Wi-Fi 環境の整備も重要である。訪日外国人にとって重要な情報は，「無料 Wi-Fi から得る」（観光・レジャー目的で53％）が一位となっている。一方で，総務省の調べでは，日本の無料 Wi-Fi に「満足」した訪日外国人は63.6％と7割を切る値となっている。[18]こうした準備を今のうちにしておく必要もあろう。

（5）観光サービス②
ソーシャルディスタンス型観光における新しいまちづくり

　先述のように，新型コロナウイルスの影響で4月の国内旅行は99.9％の減少となった。[19]外国人観光客が8000万人を超すフランスよりも，まだ3000万人程度である日本はある意味，潜在的なマイナスが少ないのかもしれな

い。依然，国内マーケットが重要である（なお，観光が国内消費に占める割合は５％，インバウンド消費額は4.5兆円（2018年））[20]。顧客の絶対数が少なくなる中，新しく収益を上げる手法の開発は，実は日本は強いはずだ。なぜなら，人口減少を長年経験している日本では「効率性上昇」への経済，経営理論の蓄積も多いからである。

　特にコロナ禍により需要の絶対数値が減少している現在，一つの活路は従業員一人当たり，ないし単位面積当たりの売り上げの「効率性」を上げることである。つまり，新しいエリアマネジメントには「効率性の上昇」が重要となる。この点については JTB の山北栄二郎社長が重要なことを述べている[21]。

　　　宿泊施設の安全対策を社内データベースで共有し，顧客にきっちり伝える必要がある。〔中略〕例えば，バスガイドは１つのツアーに帯同するが，遠隔でリモートで案内することが想定できる。時間的拘束も短くなり，コストも抑えられる。１シーズンで固定された料金価格も，〔需要に応じて価格をリアルタイムで変える〕ダイナミックプライシングで柔軟に対応できるようにする。

山北氏はさらに，

　　　最終的な〔経営の〕戻り値を予測するのは難しい。当社は〔夏場における〕海外旅行と国内旅行の比率が大体半々。〔しかし，〕今年は夏場の回復が見込めない。

としつつ，以下のような代替案を提示している。

　　　日数が少ない国内旅行を夏だけではなく秋冬と複数利用してもらえるかが課題だ。来年の次の需要回復までつながるように対策をとる。

　少なくなってきている需要に対し，何をどのように対処すべきかを述べている。まさに，上記のような不確実性に対する「代替オプション（新し

い選択肢）の提示」が必要となろう。

エリアマネジメント分野ではさまざまなイベントを実施して集客を試みる。上記のように，外国人観光客が見込まれない期間は「日本人客」の「訪問回数を増やす」経営戦略が期待される。さらに，３密回避のための策として情報をネットで発信しつつ，バーチャルリアリティ（VR）を駆使して，体験型・バーチャルショッピング，VR イベントの企画なども考えられよう。

（6）重要性を増す「リスク管理」の要素
——フレキシビリティ（柔軟性）を求めて——

不確実性の高い時代に重要なのは「フレキシビリティ（柔軟性）」のあるまちづくりである。With コロナ社会に限らず，日本は台風の被害や地震の被害も想定される。

こうした「リスク管理」の重要性がコロナ禍で一挙に顕在化したが，こうした時代に大事なのは迅速に対応できる都市計画・経済システムである。

本書では第３章で「オプション型（選択肢）」のまちづくりを提唱しているが，実はコロナ禍発生以前の2019年に著者は「都市のスポンジ化時代における土地のリスク管理」というタイトルでリスク回避について論考を執筆したことがある。[22] 具体的には，道路利用の柔軟性，建物利用の柔軟性などである。道路でいえば路上空間での市場やマーケットのさらなる開放，また建物ではさまざまな利用が求められる。

オプションを持った経営については，すでに総合リゾート運営会社を経営する星野佳路社長（株式会社星野リゾート）が重要な指摘を行っている。

　5月12日に社内サイトを開いた同社〔星野リゾート〕の社員はびっくりしたに違いない。わが社の倒産確率は30％と題する星野代表のブログが載っていたからである。なぜこんな物騒な文章を書いたのか。「危機の局面では『正直さ』が一番大切だから」と星野代表はいう。

〔中略〕そこで，今期の減収幅と経費削減の進捗，そして新規の資金調達の可否という３つの変数で会社の先行きを27パターンに分類し，30％という数値をはじき出した。[23)]（傍点著者）

　ここでいう「27のパターン」こそが本書の第３章で展開，紹介する「経営オプション」であり，こういったオプションを意識する経営こそが激動の時代には必要である。これからの時代は，観光産業であれ，「遠隔」「ソーシャルディスタンス」「顧客ターゲットの変化」が余儀なくされる。さまざまな「変化」に対し，これを選択肢（＝オプション）ととらえ，経営計算を行う必要があろう。一見当たり前に思えるこの「準備」が十分になされていない企業が多いが，こうした準備を行うか否かで今後の経営状況が変わってくる。

３　これからのまちづくりの潮流は何か
──プラスアルファのエリアマネジメント──

　今後のまちづくりの流れについて最後にまとめたい。まちづくりは世界的な経済や政治の動きと連動している。コロナ禍がもたらした世界的な流れ，潮流については，「何も新しいことは起きていない，今まで起きたことが加速しているだけだ」との考えがある。[24)]確かにすでに SARS や MARS などが局地的ではあるが発生していたし，世界規模にはスペイン風邪（1918-21年）もわれわれは経験している。

　また，現在加速している遠隔での会議や授業などもその技術の必要性については，すでに10年以上前から指摘されていたし，購買における EC 市場の利用も進んでいた。

　まちづくり分野においても，先述のように，ハード整備の時代は過ぎ，都市を小規模単位で管理（マネジメント）する「エリアマネジメント的手法」の有効性が指摘されていた。人口減少社会においては，いたずらに都

市開発をするのではなく，ステークホルダー（地権者，市民，事業者）は公
と連携しながらエリアを管理する時代に突入していた。

　ただ，外的要因として従来のエリアマネジメント方式に加えて，さまざ
まな感染症対策（ソーシャルディスタンスの確保やアルコール消毒）やリスク
管理が加わったのが今回の特徴である。こうした点から，今までのまちづ
くり手法にコロナ禍に対応する部分を加えることこそが「新しい」エリア
マネジメントといえるのである。ゼロから新しく立ちあげるようなことで
はない。これまでのまちづくり（エリアマネジメント方式）に，プラスアル
ファを行う，との発想といえよう。

お わ り に

　本章では，With コロナの時代のまちづくりの方向性について既存の文
献について概観し，コロナ禍を前後して「変わらぬ部分」と「変わる部
分」についてまとめた。

　今後も「変わらぬ部分」についていえば，持続可能性を追求するまちづ
くりの理念，人口の減少傾向，そして中央政府，地方政府問わずまちづく
りへの財源が厳しい点などがあげられる。

　また，民間を中心に特定エリアの再生にフォーカスした「エリアマネジ
メント方式」の重要性も変わらないであろう。こうした変わらぬ部分につ
いてはこれまでのまちづくりの知見が引き続き適用できる。

　一方で，「変わらなければならない部分」としては，リスク管理に「感
染症対策」が入ったことによる変化（空間的なエリアマネジメントの必要性）
が大きい。経営上の心構えともいえる「オプション的発想（さまざまな可
能性を常に検討）」と，「コスト」と「効率性」に関する部分への工夫であ
る。特に土地の所有コストは With コロナの時代では，経営に対し大きな
影響を与える。旧来の借地借家法制はある意味，経済が安定ないし成長す
ることを前提としており，不確実性が高い環境下ではなじまない。最低家

賃制度や借主の営業実績に応じた「応益家賃制度」は検討されるべきであろう。土地の上物が撤退しては地主は地代ももらえなくなるからである。また，効率的な PR としてネットの活用などがさらに期待されよう。

　人との出会いが商売の中心をなす「観光」や「エンターテインメント（コンサートなど）」の産業も変化が必要であろう。しばらくは「適温冬眠（完全に睡眠するのではなく，次に向けての戦略を練りつつ時間を過ごす）」しつつ，経営は生き続けるような仕組みづくりが問われる。適温冬眠期間は「薄利多売」方式がその基本形態になるケースが多いが，ニッチな部分（季節を問わず年中客を勧誘する，ダイナミックプライシング（需給関係に応じて適宜価格を改定する）を行うなど）で稼ぐことも必要であろう。[25]

　また，これからは否が応でもオンライン技術（ネット販売等）に頼らざるを得ない。商店街などではエリアマネジメント方式で「不動産部門（空き店舗情報の紹介など）」「ネットモール部門」を立ち上げるなど，効率的な経営が求められる。商店街のネットモール化は特に重要である。例えば，洋服屋 A 店については，同店の商品を商店街経由でネット注文した場合，その分購入客にポイントが付くようにすればよい。また，購入後のメンテナンス・フォローもあればなおさら商店街で購入したメリット感が生まれ，それがリピーター獲得へとつながる。

　こうした工夫こそが「変化」であり，新しく地域再生に求められる機能であろう。

　詳細については第 5 章を参照されたいが，中国では生鮮食料品を，30 分以内で顧客のもとに届けるサービスなども一部実現されている（フーマーフレッシュ[26]）。こうした新たなビジネスが日本でも生まれるかもしれない。ネット，電話，Fax，どれでも良い。遠隔注文をベースとした流通革命も With コロナの時代には求められる。

■ ■ ■

●注

1）神野直彦『地域再生の経済学——豊かさを問い直す——』中公新書，2002年，p. 16。

2）清成忠男『地域創生への挑戦』有斐閣，2010年，p. 52。

3）根田克彦『まちづくりのための中心市街地活性化——イギリスと日本の実証研究
——』古今書院，2016年，p. 16。

4）青森市の試算によると，1970年から2000年の30年の間に，市街地中心部から郊外に
流出した 1 万3000人を受け入れるために要した行政コストは，道路や下水道などのイ
ンフラ整備など約350億円であった（https://www.jcci.or.jp/machi/h050218aomori.
html）。

5）増田寛也『地方消滅——東京一極集中が招く人口急減——』中公新書，2014年，p.
53。

6）近藤恵介「第19章　感染症対策と都市政策」（小林慶一郎・森川正之編『コロナ危機
の経済学——提言と分析——』日本経済出版，2020年），p. 107。

7）山下祐介『地方消滅の罠——「増田レポート」と人口減少社会の正体——』ちくま
新書，2014年，p. 20。

8）饗庭伸『都市をたたむ』花伝社，2015年，p. 190。

9）小林重敬・森記念財団編著『エリアマネジメント　効果と財源』学芸出版社，2020
年，pp. 3-4。

10）まち・ひと・しごと創生本部事務局「地域再生エリアマネジメント負担金制度」
（https://www.kantei.go.jp/jp/singi/sousei/about/areamanagement/index.html）を参
照。

11）ガイドラインについては，内閣官房まち・ひと・しごと創生本部事務局「地域再生
エリアマネジメント　負担金制度　ガイドライン」2020年 3 月（https://www.kantei.go.
jp/jp/singi/sousei/about/areamanagement/r020521_guideline_all.pdf）を参照。

12）木下斉『稼ぐまちが地方を変える——誰も言わなかった10の鉄則——』NHK 出版
新書，2015年，p. 130。

13）細野助博『中心市街地の成功方程式』時事通信出版局，2007年，p. 138。

14）宣伝会議編集部「ネットが 2 兆円でテレビ広告費を抜く2019年「日本の広告費」が
発表に」2020年 3 月11日（https://www.advertimes.com/20200311/article310146/）。

15）中沢孝夫『〈地域人〉とまちづくり』講談社現代新書，2003年，p. 123。

16）日本政府観光局（JNTO）「訪日外客数（2020年 7 月推計値）—— 7 月前年同月比
99.9％減の3,800人——」（https://www.jnto.go.jp/jpn/statistics/data_info_listing/pdf/
200821_monthly.pdf）。

17）佐々木一成『観光振興と魅力あるまちづくり——地域ツーリズムの展望——』学芸
出版社，2008年，p. 61。

18) 総務省 情報流通行政局 地域通信振興課「2020年に向けた Wi-Fi 環境の全国整備について」2015年7月。

19) 観光庁「令和2年版観光白書について（概要版）」2020年6月（https://www.mlit.go.jp/kankocho/content/001348279.pdf）。

20) やまとごころ「2019年上半期のインバウンド消費額前年同期比8.8%増の2.4兆円，年内5兆円超えるか!?」2019年8月8日（https://www.yamatogokoro.jp/inbound_data/33577/）。トラベルボイス「日本の旅行消費額が GDP に占める割合は5％と低水準，首位ドイツの半分，旅行の不満は「客室が期待外れ」が9％──観光庁」2018年2月27日（https://www.travelvoice.jp/20180227-106409）。

21)「集客減 IT で補う」『日経 MJ』2020年6月24日付。

22) 足立基浩「都市のスポンジ化時代における土地のリスク管理」『土地総合研究』42, 2019年。

23)「ウィズコロナの企業経営」『日本経済新聞社』2020年7月6日付。

24) 池上彰・佐藤優「アフターコロナの世界」『週刊朝日』2020年7月10日号，p. 30。

25) ダイナミックプライシングは，適宜需給状況に応じてサービス価格が変化する仕組みで，野球スタジアムの座席の料金設定等にも援用されている。例えば，グランドに近く見やすい内野前列の価格が高く，外野後方席などは安い，などを含め日程や時間帯などによっても価格は変化する。

26) ライブドアニュース「中国，アマゾンを凌駕。30分宅配と店舗の倉庫化がもたらす大革命」2017年7月3日（https://news.livedoor.com/article/detail/13286078/）。

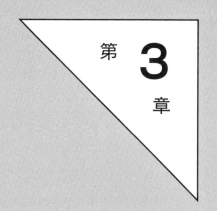

第 **3** 章

With コロナ時代のエリア
マネジメント：7つの視点

はじめに

　第2章ではWithコロナ期においてまちづくりの「（これまで同様に）変わらずに重要な点」と「変わるべき（視）点」について述べた。その結果，これからも変わらぬ点として「まちづくりビジョンの必要性（コンパクトシティなど）」，「ヒト（組織）」としてのエリアマネジメントの重要性を指摘した。一方，Withコロナ社会では，「（まちづくりの）コンテンツ（内容，サービス等）」，「情報発信」，「土地問題」，「リスク管理」などに今後大きな変化が予見される点を示した。本章では，こうした議論を踏まえ喫緊に必要な具体的な戦術（手法）について考えたい。

　結論を先取りすれば，Withコロナの時代にはピンポイントのエリアマネジメント策が必要になる。例えば，感染症対策としてのアルコール消毒をエリアごとに徹底化させる，もしくは，PCR検査を実施するなどが考えられる。

　そもそも，エリアマネジメントとは地権者や事業者などが主体的に参加し，（活性化すべき）エリア指定を行いその中で自らが拠出金を出すなどの手法で経済再生を図るものである。海外では2000年代に入り相次いでこうした手法が都市再生の手法として利用されてきた。日本でも大都市地域（東京：大手町，丸の内，有楽町地区，大阪：梅田地区）などで実施されている。しかし，Withコロナの時代にはその役割の一つとして「リスク管理」が特に重要となる。特にWithコロナの時代には，密度の低い地方都市でもエリアにおけるリスク管理活動は活発になるために，きめの細かいエリアマネジメントが実施されねばならない。

　本章では，第2章での議論を踏まえたうえで，「変わるべきまちづくりの手法」として，以下，その具体策として「7つの視点」を紹介したい。

1　空間ネットワークという視点

（1）「空間ネットワーク」とは何か

最初に「空間ネットワーク」について説明を行いたい。

ネットワーク効果とはそのエリアが持つさまざまな地理的関係性（ネットワーク）の潜在性がもたらす影響のことである。With コロナの時代には，各地域がどのように連携しておくのかを把握する必要がある。連携の強い地域においては，例えば感染症に関する各種対策の強化をエリアマネジメント組織が重点的に行うことができる。こうした連携の強さは「ネットワーク分析」と呼ばれる統計手法が確立されていて，R という統計言語ソフト[1]を用いればその関係性（地点間の推移性等）の強弱などが数値化される（補論 2 参照）。

以下，事例として大阪市内の 2 大拠点のエリアの関係性——ネットワーク——についてみてみよう。ここでは，関西地区の主要エリアである「梅田地区」と「難波地区」を事例として扱うこととする。

「ネットワーク」の強さとエリアマネジメント

梅田地区のネットワークについては，顧客の属性からして「国内周辺客（周辺100キロ以内）」という特徴を有する。いわゆる兵庫県，京都府，滋賀県，奈良県，そして和歌山県など広域の顧客が買い物を含め観光などでここを訪れる。商圏は広く，潜在人口は2000万人を超えるが，インバウンド客は少ない。JR 大阪駅前を中心とする梅田エリアの地理的ネットワークの特徴は，① 大阪駅の南部に北新地・ビジネスエリアを控えている点，もう一点は，② 東方向に茶屋町，中崎町，天神橋筋など巨大商圏エリアと連結している点である。つまり，「南・東」に強い地理的関係性を持つ。

一方，難波地区はどうであろうか。

難波地区は上記関西圏が有する潜在人口はあるものの，京都からのアク

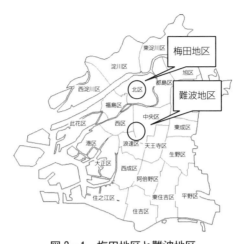

図 3-1　梅田地区と難波地区

出典）Craft Map（http://www.craftmap.box-i.net/
sozai.php?no=1031_3）に加筆して作成。

セスがやや弱い点，逆に奈良県や和歌山県などの都市との隣接性が強い点
に特徴がある。このネットワークの特徴は，ビジネスエリアというより住
宅地が周辺に多い点と，インバウンド客が極めて多い点である（関西国際
空港から難波を終着とする特急電車（南海電車）がある）。その結果，黒門市場
のように全体の80％が「外国人客（コロナ禍以前）」と呼ばれるような商店
街が存在している。

梅田地区と難波地区の数値分析

　以下，この2地区の構造的な点を比較するためにネットワーク分析と呼
ばれる数値分析を行った。ネットワーク構造については，グラフ理論と呼
ばれる数的理論から発展した「社会ネットワーク分析」の手法を用いた研
究蓄積が近年進んでいる。企業間取引関係を対象に，社会ネットワーク分
析を援用した既存研究としては，坂田一郎ら[2]や，若林直樹[3]などが挙げられ
る。彼らは，いくつか地域を選択した後に，ネットワーク構造分析を行っ
ている。

　ここでは，地理的ネットワークとして梅田地区，難波地区のそれぞれの

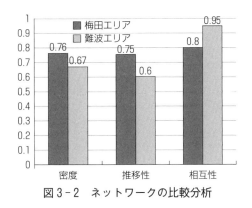

図 3-2　ネットワークの比較分析

地区の「密度」「推移性」「相互性」と呼ばれる指標の分析を行った。

　図 3-2 では，それぞれの地区の「密度」「推移性」「相互性」が数値化されたものが比較されている。なお，梅田地区については，大阪駅前エリア，ヨドバシカメラエリア，茶屋町・中崎町エリア，ヒルトンエリア，福島エリア，大阪第 1 ビルエリア，北新地エリアとし，難波地区については，御堂筋線，千日前線，南海電車難波駅周辺エリア，裏難波エリア，堀江エリア，新世界エリア，天王寺エリア，道頓堀エリア，心斎橋大丸エリアの 7 地区を選定した。それぞれの地区は中心駅を梅田駅，難波駅として分析を行っている。

　図 3-2 より，ネットワークにおける「相互性」においては難波エリアが0.95，梅田エリアは0.8と，難波エリアの数値が高めに出ている[4]。「相互性」とは「互いのエリア相互の関係性（地理的なむすびつき）の強さ」を意味している。難波地区の場合，例えば，「堀江エリア」と隣接的な位置関係にある「道頓堀エリア」の関係性は強く，こうした点も難波地区の相互性の数値を高くしているのかもしれない。With コロナの時代に注意したいのはこうした相互性が強い地域では，逆に感染症が伝播する可能性が高いという点だ。

　一方，「推移性」とは，それぞれのエリアがどの程度，他のエリアに幅広く関係しているのかという視点，つまり拡がりの強さを意味している。

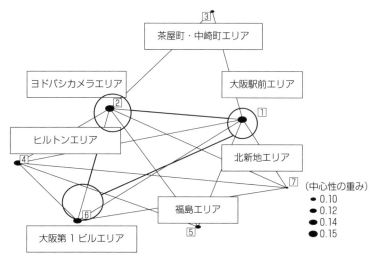

図 3 - 3　梅田地区の中心性分析（3 つの中心部がある）

これは，梅田地区の数値が0.75，難波地区は0.6であった。続いて，「密度」についてだが，これはそれぞれのエリアが線でつながっている割合（すべてつながっていれば1）を示している。この「密度」についても，梅田エリアは0.76，難波エリアは0.67と梅田エリアが高い数値を示した。（ネットワーク）密度の高いところでコロナ対策がより一層必要なことはいうまでもない。

ネットワークの中心性

　さらに，ネットワークには「中心性」という概念がある（**図 3 - 3，図 3 - 4 参照**）。

　「中心性」とはそのエリアのネットワークの軸となる概念をいう。この数字については，梅田地区の場合は，① 大阪駅前エリアと，② ヨドバシカメラエリア，③ 大阪第 1 ビルエリアが全体の中心であることが図より確認されている（大阪駅前エリアとヨドバシカメラエリアは隣接しているが，エリア機能が異なるため，あえてここでは分類している）。

　また，難波地区については，難波駅周辺エリアが突出して大きく，心斎

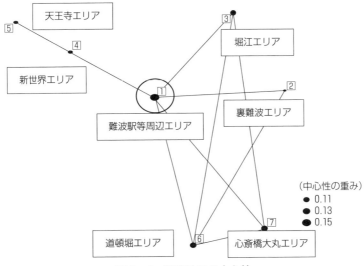

天王寺エリア

新世界エリア

堀江エリア

難波駅等周辺エリア

裏難波エリア

（中心性の重み）
● 0.11
● 0.13
● 0.15

道頓堀エリア

心斎橋大丸エリア

図 3 - 4　難波地区の中心性

橋大丸エリアがそれに続くものの，それ以外も含めほぼ同じ重みで点在している。さらに，新世界エリアや天王寺エリアはややネットワーク上の距離が離れている点が確認される。

　以上，梅田地区の場合，大阪駅を中心に全体的に関連付けられたネットワークが存在しており，駅周辺の機能を強化することで全体にさまざまな波及効果が存在する可能性を示唆した。

　一方で，難波地区の場合は，ややエリア範囲が広い。難波駅がネットワークの中心であるものの，相互性が強いなどの点が示されている。エリアマネジメントを行う上ではこうしたネットワークの特徴を参考に，コロナ感染症等のリスク回避戦略，イベント戦略などを練る必要があろう。なお，イベントだが，3 密対策を施したうえで，各エリアの導線をつなぐような「食」イベント，「著名人を呼んでのミニライブ」など地域のネットワーク回遊性を重視したものを行えば経済効果は増すであろう。

2 効率的な店舗経営という視点

　続いて，個店（商店，小売店等）のマーケティングという視点について触れたい。第2章では With コロナの時代に変わらなければならない部分として，経営上の心構えともいえる「オプション的発想（さまざまな可能性を常に検討する）」と，「コスト」と「効率性」などについて触れた。

　今後は，3密を回避しながらの個別店舗の経営が余儀なくされる。その際に重要なのは，3密を回避したまま，店舗の収益を維持する（つまり店舗経営の効率性を上げる），という視点である。一見不可能に見えるこの手法も，マーケティング次第では可能と考えられる。

　例えば，ソーシャルディスタンスを一定距離に保った結果，仮に店舗の収益が30%ほど下落すると予想される際には，① 客席の回転率を高めるか，② 客単価を上げるか，③ 営業時間を延ばすか，もしくは，④ 新規サービスを開始するか，などの点について，それぞれ1割程度増加させることで損失の多くをカバーできる。

　顧客の一席当たりの回転率については，「一人席を増やす」などの工夫があり，カラオケ店などにもこの工夫は可能である。また，客単価についてはやや高級食材のものを加えることも一案である。営業時間については，早朝の営業（テイクアウト）を行うことも考えられる。例えば家具屋が夜にはバーになるなど，一店舗2営業などの形態も効果的である。

3 財源マーケティングという視点

　続いて，今後より一層重要となる経済効果を意識した財源マーケティングの視点について述べたい。第2章では組織，財源についてはエリアマネジメントの手法が従来通り必要（変わらぬ部分）であるとした。以下，コロナ禍におけるその重要性を再度確認したい。

　著者は新潟県新潟市の沼垂（ぬったり）テラス商店街地区においてエリアマネジメントの実現性に関する調査を実施したが，この地区にはエリアを全体的に管理する会社が存在し，同社が不動産賃貸（不動産業）という形式でエリアマネジメントを行っている（詳細については第5章参照）。この不動産業により得た収入の一部をイベント事業などをはじめ各種エリアマネジメントに充てている。また，経済波及効果も発生しているが，地域消費額に対し，1.3倍の効果が存在するものと思われる（著者推計）。つまり，エリアマネジメントのこうした「財源の一部を地域づくり（活性化）にまわす」手法は強い地域を作るのに重要な役割を果たす。With コロナの時代には特に重要となろう。

　さらに「ふるさと納税」制度の活用も重要だ。かつて著者らのチームは和歌山県湯浅町をケーススタディエリアとして，ふるさと納税と地域事業者が負担する BID（まちづくりへの負担金）とのハイブリッド（抱き合わせ型）のシステムに関するシミュレーション分析を行った。その結果，ハイブリッド方式でのエリアの収入として2500万円から8850万円程度までの財源を得ることがわかった。つまり，ハイブリッドシステムは地域の活力をもたらす財源確保に資する可能性が高い。

　地方都市ほど大都市のような事業者自らが資金を拠出する「負担金」型のエリアマネジメント手法は利用しにくいが，地方税収，とくに目的使途を限定できる「ふるさと納税」のような手法を用いることは可能である。「エリアマネジメントによって発生する（であろう）地域の富の増大」を考慮すれば，「民間主導」でありながら，まちづくりのための財源を確保することが可能だ。将来の経済効果を見据えた財源の確保は必要であろう。

4　センチメンタル価値という視点

　前節の「財源確保」という意味では，「センチメンタル価値」に注目したい。これは，地域への「愛着」がもたらす心理的な地域価値である。こ

れからのエリアマネジメントは「資産価値最大化」を目指すと同時に「センチメンタル価値最大化」が重要となるであろう。

　著者は以前，和歌山市内の老舗デパートの破たんに際し，一方でこのデパートが地域住民に非常に愛されてきた事実を知った。このデパートの愛着の価値をセンチメンタル価値とし，統計的手法（仮想市場評価法，Contingent Valuation Method, 通称 CVM 法）を用いて，同価値の計測を行った結果，２億円以上の「センチメンタル価値」が存在していることが分かった（この点については2005年１月26日付の『読売新聞』和歌山地方版参照）。

　この記事をきっかけに，その数字の大きさに気が付いた地元市民による「老舗百貨店のビル再生への取り組み」に関する活動が活発化した。そして，その後，地元の大手ニットメーカーの関連会社がこのビルを買い上げ，行政も補助金を出すなどに発展し，再生に成功した（現在では，複合ビル「フォルテワジマ」として再生）。

　この「２億円のセンチメンタル価値」が，寄付をはじめとする財源を生み出し，近年注目を集める行動経済学でいう「ナッジ（インセンティブ，詳細については第６章参照）」となったのである。

　このように，例えばパリのシャンゼリゼ通りにさまざまな歴史や市民の皆さんの思いが詰まっているように，マネジメントすべき対象の「エリア」にもセンチメンタル価値が宿っている。その結果，自ずと「負担金」の支払いに対してもインセンティブがわくものと考えられる。単なる賑わい創出ではなく，そこで働く皆さんが「誇りと愛着」をもてるようなエリアマネジメントを目指してほしい。

　「地域への愛着」は With コロナの時代には特に重要となろう。今回のコロナ対策で，補正予算を含め組んだ予算は100兆円を超えている。しかし，財源には限界がある。すでに世界一の借金大国となった日本は，これ以上の借金を背負うのは危険であり，日本銀行が株価を維持するために紙幣を刷るという戦略も中期的には臨界値を超え，インフレをもたらす可能性を有する。結果として消費増税のさらなる実施，もしくは「コロナ復興

増税（仮称）」が実施される可能性がある。所得税の累進化のさらなる進展と，相続税強化なども考えられる。年金は一定額削られ，医療控除は 4割負担なども想定される。

　それを支払うのは，現役世代のみならず将来の若者であり，彼らの労働意欲を大きく減退させるであろう。ゆえに，著者が主張してきた「地域の愛着」による近隣観光振興→経済再生や，企業や個人等の寄付などの行為による「地元力」の強化が一層重要となる。センチメンタル価値とは地域への愛着の価値であるが，これを教育するシステムも必要となるであろう。小中学校での地域の歴史や文化の教育，また地域のお年寄りと子供たちの交流も必要になる。この点では，福井県鯖江市などが実施している IT 教育なども参考になる。現地では，今後必要となる IT 教育，特にプログラミング教育などを，地元の 4 歳児から高齢者層を含めターゲットにしている 5)。例えば，プログラミングなどのリカレント教育（小学生へプログラミングを教えるためのスクール等）を受けた年配者が，今後小学校などに教育アシスタント（プログラミング）として派遣されれば，世代間交流が促進されるであろう。年配者は，もちろんプログラミングのみの専門家ではない。地域の歴史や文化などもご存じである。IT 教育に加えて，「地域教育の一端を担っていただく」ことで地域への愛着も促進されることであろう。

　著者らが実施した地域調査では，高齢者（自分の祖父母）からまちづくりへの参加意識を学んだ子供たちは，その後大人になっても地域行事やボランティアなどへの参加意欲が，そうでないケースよりも大きいことが，統計的に示されている。

5　リスク管理としてのリアルオプション理論の視点

　第 2 章でも指摘したが，With コロナの時代のエリアマネジメント活動の重要な視点の一つに「リスク管理」がある。ここでいうリスク管理とは，これから起こりうる事象を「オプション（＝選択肢）」として把握し，常に

何らかの選択肢を準備しておく経営判断のことをいう。コロナ禍は日本経済全般に深刻な経済的ダメージを与えたが，今後も数年間は不確実性が大きな経済環境にある。なお，オプションを含んだ経営プロジェクトの価値計算は，一般にリアルオプション法と呼ばれている。ここでいうリアルとは「経営の意思決定上の実際（＝リアル）の選択肢」という意味である。

どの時点で，どのような計画を実施するのか，さまざまなケースを想定して事前に経営価値の計算を行う必要があろう。紙幅の都合でこの理論のすべてを紹介できないが，以下の2つのオプションについて紹介したい。第1が（例えば）インバウンド客から国内客へターゲット顧客をスイッチさせるスイッチ・オプション，第2が意思決定の延期などタイミング・オプションである。

スイッチ・オプション

過去5年間ほどの間にインバウンド客が急速に増え，3000万人を超えるに至ったが，本稿執筆時から1から2年ほどはおそらくインバウンド客の増加に期待するのは難しいかもしれない。こうした中，インバウンド客の集客志向から，地元周辺客の集客志向へと客層を「スイッチ（変更）」させることで新しい利益を追求できるかもしれない。これが（需要層）スイッチ・オプションである。日本人客を想定することで品数やメニューなどが変わってくるが，これを少なくとも2年程度は行う形で経営にフレキシビリティ（柔軟性）を与えるという発想である。

タイミング・オプション

これは，現在の経営プロジェクトを例えば数年後に延期する，というケースのオプションのことである。不確実性が高い環境下では「先送り」は時に賢明な意思決定といえる。その間に不確実性が減少し，計画が立てやすくなる可能性がある。より具体的には，1年延期する場合の「選択肢」にはオプション価値が存在すると考え，このオプション価値を数量化

することを意味する。この値が大きければ「延期した方がよい」との判断
がくだる。

　今回，多くの外食産業や宿泊産業が打撃を受けているが，経営の意思決
定を延期した方が良いケースがありそうだ。こうした場合，リアルオプ
ション法はどのような知見をくれるのだろうか。以下事例を見ながら紹介
したい。

「延期オプション」＋「拡大オプション」を考慮した経営計画

　ある外食産業Ａ社が新型コロナウイルスの到来により，計画変更を余儀
なくされた。Withコロナの時代には，観光客数は減少し，また店舗もい
わゆる3密状態を回避しなければならないため，そのような店のレイアウ
ト変更が必要になる。

　しかし，いずれはインバウンド等の観光客が回復するであろう。ゆえに，
今は最低限の売り上げで我慢し将来の市場が拡大した時には，また以前の
規模に戻したいと考えていることとしよう。これは現実的な選択といえる。

　その結果，例えばここ1年ほどは，「受け身の経営」を実施し，2年後
からは「攻めの経営」を実施するとしよう。この場合，リアルオプション
理論では「延期」オプションを実施し，また，状況改善時点で「経営拡
大」オプションを実行することが最適な経営戦略となる（図3-5参照）。

　リアルオプション理論の場合，「不確実な未来」のオプション価値であ
るにもかかわらず，これを「現在」の価値に変換できる点が極めて大きな
特徴である。理論上は不確実な未来の価値を現在価値に戻すことはできな
い（未来から現在価値への変換率である「割引率」が一義的に定まらないからだ）。
しかし，ノーベル経済学賞を受賞したロバート・マートン（1997年ノーベ
ル経済学賞受賞）らによって「不確実な（はずの）未来の価値」でも現在価
値に変換できる手法が，次の事例で述べる「リスク中立確率」を用いた場
合のみ可能であることが示されたのだ。以下，簡単化のために事例を用い
てその計算方法だけを紹介しよう。

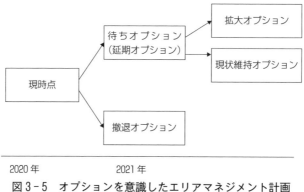

2020年　　　　　　　　　2021年

図3-5　オプションを意識したエリアマネジメント計画

オプション価値を含んだ経営価値の計算例

> **ケーススタディ　大阪市内で居酒屋を経営する場合**
>
> 　新型コロナウイルスの発生のために店舗の売り上げが80%減少した。7月以降は60%程度まで回復したが，今後どのような状況になるかわからない。よって，2021年時点の経済環境に応じて，設備投資の実施を延期させ（延期オプション），その状況をみて，経営規模を拡大させるか否かの判断をしたい（拡大オプションの実施の有無）。

　この経営計画の現在価値を計算してみよう。数値の前提条件のいくつかについては，過去の経験に頼らざるを得ないが，こうした数値の設定を行ったうえで（**図3-6参照**），次に下記の「良いシナリオ」と「悪いシナリオ」が起こる確率について計算してみよう。

　良いシナリオ，悪いシナリオの発生確率は一見，5分5分に見えるが，実は先のマートン等が示した「リスク中立確率」なる概念を用いれば，一定の条件の下「良いシナリオになる確率（価値の上昇確率）」が計算できる。

良いシナリオの発生確率の計算方法

　以下，「良いシナリオ」の発生確率の計算方法を示そう。一般的な金利

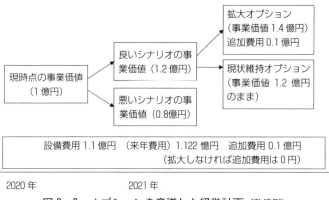

図3-6　オプションを意識した経営計画（数値例）

水準が0.02とした場合（割引率も2％とする），この確率（これがリスク中立確率，ここではPとする）は，

$$リスク中立確率（P）＝\frac{現在価値×（1＋金利）－悪いシナリオの価値}{良いシナリオの価値－悪いシナリオの価値}$$

で求められる。

　これに以下の設定値（図3-6参照）

　　　　良いシナリオの価値＝1.2億円[7]
　　　　悪いシナリオの価値＝0.8億円
　　　　現在価値＝1億円
　　　　割引率＝1＋金利＝1.02

を代入すれば，リスク中立確率Pは0.55となる。

　つまり55％が「良いシナリオ」への上昇確率となる（ただし，この確率＝リスク中立確率は実際の確率ではなく，リアルオプション価値を計算するうえでの仮の確率と考えていただきたい）。下落確率は100％－55％（つまり，$1-P$）＝45％＝（0.45）になる。

来年の予想価値「期待値（E）」を計算（経営拡大オプションを考慮しないケース）

　さらに，このリスク中立確率，P（上昇確率）を用いれば，来年の事業価値の「期待値」が求められる。「期待値」とは，ある事象が確率的に発生すると考えた場合の平均的な予想値で，それぞれの値に発生確率を掛けて求めたものである。単純化のために，まずは拡大オプションを考慮しないケースについて考えよう。この例でいえば，55％で「良い状態（1.2億円）」，45％で「悪い状態（0円）」（悪い場合は選択しなければよいので，0になる）となるため，

$$期待値（E）＝上昇確率×（良い場合の価値（0.078億円））$$
$$＋下落確率×（悪い場合の価値（0円））$$

　この結果，期待値＝来年の予想価値（価値の上昇，下落，両方を考慮した平均的な変化価値）は，0.078億円×0.55＋0円×0.45＝0.0429で，約429万円となる。ところで，上記の場合の価値0.078億円は，来年の上昇価値から「費用」を引き算したものである点に留意されたい。つまり，「良いシナリオ」の場合の価値は1.2億円－1.122億円（来年の費用（金利の分だけ今年よりは増えると考える））＝0.078億円（780万円）と計算される。

　なお，「悪いシナリオ」の経営価値は，0.8億円（図3-6参照）になっているが，これから開発費用1.122億円を引くとマイナスになってしまう。マイナスの場合「この選択肢を選ばない」ということで，「0円」になる。つまり，リアルオプション理論の重要な点として，「マイナス（損失）を回避できる」ことがあげられよう。計算の結果，来年の予想価値（期待値）は429万円（つまり，プラスの価値）となる。

「期待値」を現在価値に戻して，オプション価値を求める
（コロナ禍後，経営拡大オプションを考慮するケース）

　最後に，この期待値429万円を現在価値に戻す作業をして，現在のオプ

ション価値を求めてみよう。なお，ここでは，「良いシナリオ」では「拡大オプション（経営拡大）」を考慮しているので，この部分も考慮に入れたい（1.2億円から1.4億円に拡大。ただし，費用は0.1億円，というオプション）。この場合，来年の価値は1.4－0.1＝1.3億円になる。よって，1.122億円の費用を引いて，0.178億円（1780万円の期待価値）になる。この結果，期待値は約0.0979となり，約979万円となる（拡大オプション価値を含んでいる）。

　ところで，未来の価値と現在の価値は額面が同じ金額でも，質は異なる。100年前の1円で家が買えたのに現在の1円では家が買えない。100年前と比べ，経済は大きく成長したからだ。つまり，時間の交換比率である「割引率」を用いて未来の価値を現在の価値に変換させる必要がある。経済成長の目安の一つに利子率がある。利子率は現在から未来への変換率で，この逆を「割引率」という。ここでは，簡単化のために，利子率0.02と同じ割引率を想定しよう。つまり，割引率も0.02となる。

　公式は，

$$現在価値 = \frac{来年の価値}{(1＋割引率)}$$

で求められる。よって，来年の価値979万円は1.02で割り算して，現在の価値は約959万円となる。

　なお，先述のように，未来が不確実な場合には，上記の公式は利用できないはずであるが，すでにみてきた仮想の「リスク中立確率」を用いれば，上記の「現在価値」の計算式が利用できる。ここがリアルオプション理論の最大の特徴である。

　ところで，今年事業スタートした場合の価値は1億円で，費用が1.1億円，つまり，1000万円の赤字（マイナスの価値）であった。これを来年に延ばして，延期オプションと拡大オプションを付け加えれば，マイナスからプラスの959万円（1年待つことで実現するオプション価値）にまで上昇する。

つまり，

$$959万円－（－1000万円）＝1959万円$$

が，現時点のオプション価値（延期＋拡大オプション）となる。つまり，「延期オプション」に「拡大オプション」を加えたオプション価値は今年の時点で1959万円になる。当初の1億円のプロジェクト価値に対して約19％程度が延期＋拡大オプション価値となる。

　ところで，「待つオプション（延期オプション）」のみの価値は全体価値の6％程度を平均的に占めるという研究報告もある。[8] 本書で示した事例は「拡大オプション」を含んでいるが，「待つオプション（延期オプション）」のみの価値は14％程度であった。これに「拡大オプション」分が5％程度足されたのである。いずれにしてもこの6％基準に比べたら大きな値なので，「待つオプション（延期オプション）」はそれなりの価値（延期する価値）があることを意味する。

　つまり，この計画は来年以降に延期すべきであろう。

6　ライバル・商圏戦略という視点

（1）ライバル分析（地理的リスクを考える）を行う

　続いて，地理的なリスクを計算するためのライバル分析について述べたい。先ほどのオプション理論にも影響するのが，店舗の立地などの地理的環境だ。例えば，中心市街地で新たにショップを営もうとした場合，その店舗の収益性は周辺のライバル店の存在にかなり影響される。新しく郊外に大型の小売り店舗ができてそちらに客が流れる可能性がある。コロナの時代，不確実性が増す中，過度な地域競争を回避するためにもライバル店の経営力についてあらかじめ計算しておく必要があるが，こうしたライバル店の自分の店舗（地域）に対する「強さ」を分析するのが以下に述べるハフモデルである。ライバルと，自分のお店の「稼ぎ」の数字的な強さに

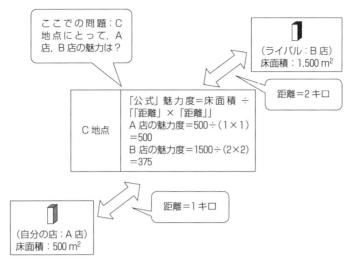

図3-7　C地点の住民は，AとBどちらの店に買い物に行くか

ついて，以下簡単な計算のもとにこれをみてみよう。

　ハフモデルでは，ある地点（C地点としよう。図3-7参照）からみた，離れたA店とB店のそれぞれの魅力は「距離」に反比例して，「床面積」に正比例するという考え方を用いる。確かに，顧客がある店で買い物をしようと移動しはじめたときは，その店舗の「距離」が遠い場合はマイナス要因となり（反比例），逆にその店の床面積の広さはプラス要因となる（比例関係）。こういう場合は分数でその関係性が表現される。つまり，「魅力（床面積)」は分子で，「魅力でない要素（距離）」は分母で表現する。

　上記の例では，C地点にとって，

$$\text{A 地点の魅力} = \frac{500\ \text{m}^2}{1\ \text{キロ} \times 1\ \text{キロ}} = 500$$

$$\text{B 地点の魅力} = \frac{1,500\ \text{m}^2}{2\ \text{キロ} \times 2\ \text{キロ}} = 375$$

となり，A地点の魅力「500」が数字的にB地点の魅力「375」に勝っていることがわかる。また，顧客がこの魅力度に比例して，A店，B店を訪問

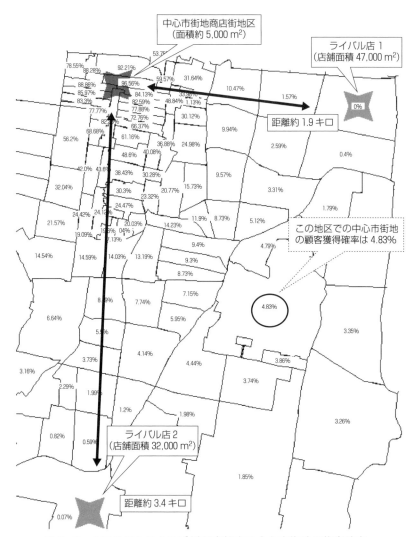

中心市街地商店街地区
（面積約 5,000 m²）

ライバル店 1
（店舗面積 47,000 m²）

距離約 1.9 キロ

この地区での中心市街地
の顧客獲得確率は 4.83%

ライバル店 2
（店舗面積 32,000 m²）

距離約 3.4 キロ

78.55%　88.28%　92.21%　53.7%
88.86%　96.56%　59.57%　31.64%　10.47%　1.57%
85.97%　84.13%　33.56%　1.13%
83.3%　82.59%　48.84%
77.77%　77.88%　9.94%　2.59%　0.4%
82.22%　72.76%　30.12%
68.68%　66.37%
56.2%　61.16%　36.88%　24.98%　9.57%　3.31%　1.79%
48.6%　40.08%
42.0%　43.6%　38.43%　30.28%　15.73%
32.04%　30.3%　20.77%　8.73%　5.12%　4.79%
24.47%　23.32%　11.9%　14.23%
24.42%　24.12%　20.03%　9.4%　3.35%
21.57%　19.09%　19.5%　04%　9.3%
7.13%　8.73%
14.54%　14.59%　14.03%　13.19%　7.15%　3.86%
8.59%　7.74%　5.95%　3.74%
6.64%　5.5%　4.14%　4.44%　3.26%
3.73%　1.2%　1.98%
3.16%　2.29%　1.99%
0.82%　0.59%　1.85%
0.07%　0%

図 3 - 8　ハフモデルによる香川県高松市の中心市街地の集客確率

すると仮定した場合，500 対 375 の割合（比率）になるので，58％対 42％で訪問するという計算になる。ただし，両店舗の魅力が「面積」だけに依存するという単純なモデルである点に注意が必要だ。例えば，「本屋」と「家電量販店」との比較ではそもそも住み分けされているので，このモデルの適用は妥当ではない。しかし，例えば，中心市街地の商店街エリア，と郊外型の大型小売店舗との比較ではエリア機能の類似性があるためこのモデルは一程度，適用可能となる。

　図 3 - 8 は香川県高松市の中心市街地の商業地区（左上の濃い星印部分）と薄色で示されたライバル店（2 カ所）が図示されている（地理情報システム用の SIS ソフト（インフォーマティクス社製品）を用いて著者が独自に作成）。

　各地区別（町丁目）に示された数字は，中心市街地の顧客獲得確率である。ライバル店 1，ライバル店 2 の周辺の地区では，数値が 1 ケタ台であるが，中心市街地の特に西側では，88.86％など高い数値となっていることが確認できる。

　つまり，① ライバル店は中心市街地に住む人たちが集まらない点，また（逆に），② 中心市街地の周辺にある店は，ライバル店周辺からは客を集めにくい点などが指摘できよう。宣伝ビラをまく際にはこうした数値は大変参考になる。

（2）極周辺という考え方　1 キロ商圏と地価との関係（PMP 比率）

　続いて，商圏（半径○○圏内の人口）という概念をもちいた分析法を紹介したい。本節では，1 キロ商圏の人口と地価との関係性についてみてみたい。コロナの時代，やや離れた移動が制限されるため 1 キロ商圏は極めて重要な役割を果たしている。この 1 キロ商圏を「極周辺（きわめて近隣，という意味で「極」を用いている）」と名付けよう。3 キロ商圏についても調査を行ったが，地方都市の場合にはその中心市街地が小規模であり 3 キロ圏は中山間地を含むケースが多い。よって，ここでは 1 キロ商圏の性質のみをみることとした。

なお，１キロ商圏の人口とその町の全体人口との比率が重要である。例えば，○○町の全体人口が５万人の場合について考えてみよう。また，市役所（中心市街地の拠点と仮定する）から半径１キロ以内の人口が5000人としよう。この場合，この比率は5000人÷５万人で0.1（＝10％）となる。この「0.1」という値は都市によってさまざまである。ある都市では郊外化が進んで，同じ５万人の人口でも中心部１キロ圏内に2500人しか人がいない場合には５％となる。

　こうした値を PMP 比率（Area Population and Marketing targeted Population ratio，人口・商圏人口比率）と呼ぶことにしよう。この値はその都市の中心市街地への密集度を表しているはずである。都市の中心部が空洞化しており，郊外人口が多い都市ではこの PMP 比率は低くなるであろう。

　また，仮にこの密集度（＝PMP 比率）が高い都市で地価の上昇が観測された場合には都市のコンパクト化が地価を上昇させた可能性がある。

　著者は中心市街地活性化基本計画に認定されている都市すべて（2019年12月時点）においてその中心市街地の１キロ商圏人口を計測し，その比率がその町の人口のどの程度を占めるのか，について分析を行った（148市２町のデータ）。以下，「１キロ商圏（極周辺）人口」が「全人口の占める比率」，つまり PMP 比率と地価との関係性について都市の人口規模別に考えてみよう。

地価の状況に応じて３タイプに分ける

　本分析では，2005年から2018年までの期間について考察を行った。この時期は，リーマンショックや東日本大震災が発生した時期を含んでいるが，この間地価（国土交通省地価公示データを利用）は全国平均で，25.6％下落した。つまり，全国的に25％程度は平均して下落している。

　この点を考慮（25％を「平均値」の目安）して，調査対象地区の地価を，以下の３種類に分ける。

① 地価上昇地区（プラス成長している地区）

② 下落はしているものの全国平均のマイナス25％よりは緩やかに下落している地区

③ 下落しており，全国平均のマイナス25％より落ち込んでいる地区

　そして，この３つの分類ごとの PMP 比率について計算を行った。なお，都市の人口規模については，10万人未満，10万人から15万人未満，15万人から30万人未満，30万人以上の４分類とした（データ数をある程度均等化させるため）。以下，分析結果を見てみよう。

人口10万人未満の都市の場合

　この人口規模の都市では，PMP 比率が25％の時に地価が上昇（5.2％）することが示されている（図3-9参照）。つまり，このケースでは，１キロ商圏（極周辺地区）にその町の全人口の４分の１ほどが集積すればなんらかの集積メリット（＝地価の上昇）が発生する可能性がある点を示唆している。

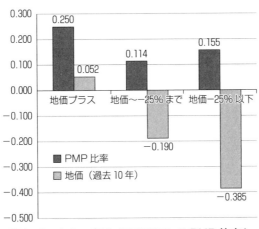

図3-9　１キロ商圏（極周辺地区）の PMP 比率と
地価との関係（人口10万人未満）

なお，地価の下落地区については，そのPMP比率は11.4%から15.5%であった。この分析は中心市街地活性化基本計画を策定している地域をベースとしたサンプリング調査であるために，日本全国の全域調査ではない。しかし，その点を割り引いても「集積＝地価に影響」の可能性が示唆された点は大きい。小規模都市では「コンパクト化」によるメリット（経済効果）が示唆されたからである。

　本書では先述のとおり，こうした「1キロ商圏」を「極周辺地区」とも定義しているが，この地域への開発などは一定の効果を発現させる可能性は高い。

人口10万人から15万人までの都市の場合

　続いて，都市規模が10万人から15万人の都市のケースについて考えてみよう。

　人口10万人以上15万人未満の都市の場合（図3-10）は，PMP比率が15.7%のケースで地価が上昇することが示されている。なお，この場合，地価は平均して約11%ほどが上昇している。

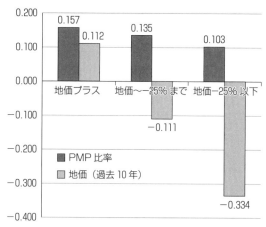

図3-10　1キロ商圏（極周辺地区）のPMP比率と
地価との関係（人口10万人から15万人未満）

しかし，この PMP 比率が少し低い13.5％の場合，地価は約11％の下落
を示している。つまり，PMP 比率約15％で地価上昇，同約13％で地価下
落と，わずかな差（2 ポイント）であるものの，地価に与える「集積」の
影響は大きいようである。

なお，PMP 比率が約10％程度まで下がると地価は大きく下がりその下
落率は約33％であった。無論，都市の地価は人口の集積だけで決まるもの
ではないが，PMP 比率が15％周辺で大きく変化している点は注目したい。

人口15万人から30万人までの都市の場合

続いて，人口15万人以上，30万人未満の都市についてみてみたい（図
3 - 11 参照）。

この都市人口のケースでは，PMP 比率は10.9％の場合，地価の上昇が
みられた。PMP 比率が8.8％の場合は，地価が14.2％下落し，5.6％の
ケースでは地価は31.9％と全国平均の25％より大きく下落している。

つまり，都市の集積を示す PMP 比率が8.8％と10.9％とわずか 2 ポイ
ント開くだけで中心部の地価がマイナスからプラスに転じている点が示さ

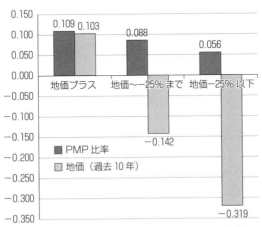

図 3 - 11　1 キロ商圏（極周辺地区）の PMP 比率と
地価との関係（人口15万人から30万人未満）

れており，興味深い結果となっている。

人口30万人以上の都市の場合

最後に人口規模が30万人以上の都市についてみてみよう。

人口規模が30万人以上の都市の場合は，PMP比率は7.1％の場合に，地価の上昇が確認されている。PMP比率が4.5％の場合にはマイナス12％，3.4％の場合にはマイナス27％となっている。

上記の結果をまとめたい。

第1に，人口規模が大きくなるほどにPMP比率は低くなる点である。

例えば，「地価のプラス」の区分においては人口30万人以上の場合，PMP比率は7.1％（図3-12）だが，人口10万人未満ではその値が25％となっている。この数値は，人口が増加するごとに下がっている。

第2に，人口30万人未満の都市では第3区分である「地価の下落がマイナス25％以下」の都市，つまり大きく地価を落とした都市の地価下落率が30％以上であった（図3-9右，図3-10右，図3-11右）。しかし，人口30万人以上の都市の場合は27％（図3-12右）と3割を切っている。つまり，

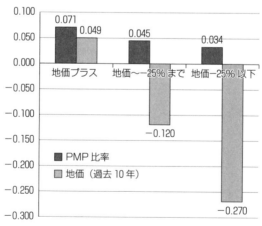

図3-12　1キロ商圏（極周辺地区）のPMP比率と
　　　　地価との関係（人口30万人以上）

30万人を越える様な人口規模の大きな都市ではPMP比率の変化が地価の下落の幅にそれほど大きな影響を与えていない点が示唆されている。

　第3に上記の結果を総括すれば，コンパクトシティ化（都市の集積効果）が地価を上昇させると仮定した場合に，その効果が顕著に出るのは人口規模が小規模の都市ということになる。地価の上昇はメリットもあればデメリットもある。しかし，地方都市においてはメリットの方が大きい。市民サービスの向上，地価の上昇，（その結果としての）担保価値の増大，都市の固定資産税収入の増加，等を通じて再開発などを可能にさせる。地価が下がり続け，資産価値が下落するよりはメリットの方が大きいであろう。Withコロナの時代においては，特に経済活動が縮小するために，より一層コンパクト化が必要になるであろう。なお，都市「機能」のコンパクト化であり，人口の「密」を意味するわけではない。住宅やオフィスなどは適度な距離を保つことで十分なコロナ対策ができるからである。

商圏人口割合と地価　重回帰分析

　上記の仮説「PMP比率の上昇は地価の上昇をもたらす」をより正確に検定するために，地域の「PMP比率（1キロ商圏）」と「地価水準」との関係性について重回帰分析（因果関係の分析）を行った。重回帰分析とは変数と変数の因果関係を一次式で表現したものである。被説明変数が説明される側の変数であり，その被説明変数に影響を与える変数を説明変数と呼ぶ。説明変数が複数存在する分析を重回帰分析と呼ぶ。

　地価公示価格を被説明変数とし，説明変数に，①ダミー1（人口30万人以上），②ダミー2（人口15万人から30万人未満），③ダミー3（人口10万人から15万人未満）と，④PMP比率（全都市）のデータを用いて，回帰分析を行った（なお，人口10万人未満のデータはシンギュラリティ問題回避のため除いている）。その結果が表3-1にまとめられている。

　表3-1より，どの変数も5％の有意水準で統計的に有意であり，その符号は正であることがわかる。特に，PMP比率（コンパクトシティ度合）

表 3-1 商圏人口と地価の関係

	係数	標準誤差	t 値	P 値
切片	−0.389	0.039	−10.011	0.000
人口ダミー 1	0.279	0.045	6.150	0.000
人口ダミー 2	0.152	0.044	3.459	0.001
人口ダミー 3	0.131	0.039	3.349	0.001
PMP 比率	0.483	0.204	2.372	0.020

自由度修正済決定係数　0.264
データ数　186

の t 値は2.372と統計的に有意であり，係数はプラスで0.483であった。つまり，PMP 比率の増加は都市の地価を上昇させる効果を有することが上記より示されている（自由度修正済決定係数は0.264）。

　この結果の示すところは大きい。1キロ商圏人口がその都市の人口との比率の上で「多い」ということ，つまり町がコンパクト化されているということが，「地価を上昇させる」作用があることが示されたからである。

7　正しいデータ・予測の視点
——人工知能（AI）を活用する——

　続いて，地域の人口等の予測手法について考えたい。不確実性が高い With コロナの時代には，わずかでも精度の高い予測が求められる。ここでは，近年脚光を集めている人工知能について紹介を行いたい。何か数値等を予測する場合，従来，統計的なモデルを作ってそれをベースにデータ分析を行うのが一般的であった。いわゆる統計学と呼ばれる手法は，因果関係の分析に際し，説明される側の変数（被説明変数）を説明する側の変数（説明変数）との関係式（モデル）を立てて，その推定誤差を最小化させるような手法（アルゴリズム）で解を求めるのが主であった。実際にこの関係式（モデル）を推定する手法は，因果関係の構造が明確に示されるため，現在でもさまざまな研究分野で利用されている。

　一方，近年，人工知能と呼ばれる手法も脚光を浴びるようになった。さ

まざまな手法があるが，中でも「機械学習（特にディープラーニング）」と呼ばれる手法に注目したい。これは，いくつかの説明データを用いて説明される側の変数を予測する点に変わりはないが，シミュレーションを何回も重ねることで，データの性質を「学習」し，最終的に最も当てはまりの良い値を求める点に特徴がある。

　特に，以下に述べるニューラルネットワークは，人間の神経細胞を模して造られた，解析システムといえる。

ニューラルネットワーク

　人間の脳は，画像や言語などを理解するが，これは，入力情報から出力情報に至るまでに，「重要な情報」を選び，その特徴をつかんでいるからこそ可能となる。

　例えば，人間の顔の画像を認識する場合，目の位置，鼻の位置などある部分に集中している情報を「認識」する必要があるが，これには一定の空間情報に「重み」をつけて，その重みを「一定のハードル（閾値）」を超えた場合に認識する，という仕組みを用いる必要がある。

　この考え方を人工知能の一種であるニューラルネットワークは模倣している。

　つまり，データの入力層（対象画像）と，出力層（認識層）とがあり，一定のハードル（閾値）を超えた情報を認識することで，対象となる数値群の特徴をつかむ。ハードルの高さや，入力時のデータの重要性（重み）を何回もシミュレーションすることで，最適値が求められる。また，入力層と出力層の間に「中間層」を設けることで，より精緻な予測が可能となる。このシミュレーションを重ねて解を求めることを「学習」と呼んでいるため，人工知能と呼ばれている。ただし，この手法には課題もある。

人工知能の課題

　人工知能を扱う時の課題は，モデル（回帰分析のような数式）をベースと

した統計的な手法と異なり原因と結果との関係が分かりにくい点である。

　さらに，学習とはいうものの，例えば「足し算」はそのままのデータを入れてもできない。足し算の結果はシミュレーションにより近似値は得られるが，近似値にすぎない。つまり，Ａ＋Ｂ＝Ｃという関係性（構造）は認知されていない。このため，人間が足し算に近い手法をさらに誘導する必要がある。つまり，人工知能を有効に機能させるためには，ニューラルネットワークに合わせた人によるデータの準備（加工）などが重要となる。

人工知能を用いた予測にはデータの作り方がすべて

　人工知能はまちづくり分野にも十分応用できるものである。

　最近では簡易なプログラム言語（無料でダウンロードできる Python など）も開発されており，データの入れ方さえ理解すれば統計などの基礎知識がなくても利用できるようになった。以下，鹿児島県の人口予測（2020年12月）について分析を行った事例を紹介しよう。

　ここでは周辺地域，つまり，九州地方の福岡県，大分県，宮崎県，熊本県，長崎県，佐賀県（沖縄を除く）の1931年から2019年までの人口データを用いた。また，アルゴリズム（推計法）としてニューラルネットワークを用いて分析を行った（本稿執筆の2020年9月時点においての分析）。

　データ入力層，隠れ層，出力層は3層とし，それぞれ，100，100，100とした。活性化関数はロジスティック数を用いた。計算数は1万回とし分析を行った。なお，計算には Python3. 6. 1というプログラムを用いた（ニューラルネットワークのアルゴリズムは sklearn. neural_network の MLPClassifier を用いた。補論2参照）。結果が図3-13に示されている。

　興味深いことに，この分析結果は鹿児島県の人口は2020年においては人口変化率がプラス方向（下落率が改善）に作用することを示した。データは鹿児島県のみならず九州地区のデータを用いているために，他地域などとの関係から強気の予測を行ったのかもしれない。ただし，先述したように，人工知能は周辺データから機械的に予測を行うのみであり，そこに構

（人口：単位は指数化している。）

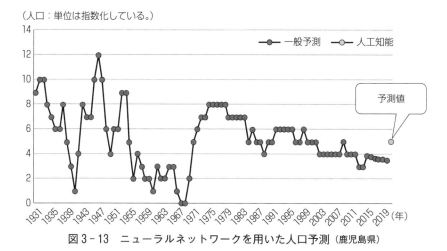

図 3 - 13　ニューラルネットワークを用いた人口予測（鹿児島県）

造的に説明できるような仕組みはない。例えば，子どもの幼稚園の入学選抜などについても AI は利用可能であるが，選ばれた子どもの優劣において AI がどのように選抜したのか，そのプロセスはわからない。AI はただこれまでのデータから何らかの規則性を見出したに過ぎないからである。よって，説明のプロセスに比重を置かないようなケース，ただデータ数が多い状況で客観的に何かの予測を行いたい場合に用いるべきであろう。

人口予測から商圏変化などについて考える

　こうした人口予測を参考に，来年の各種需要量を予測することができる。その他，商圏人口の将来予測にも用いることが可能である。また，イベントを実施した場合の歩行者交通量や，地域の消費額予測，天候の予測にも用いることができる。不確実性が高まる With コロナの時代のまちづくりにとってもさまざまな分析の視座を与えてくれよう。

お わ り に

　本章で紹介した「マネジメント型」の都市経営（エリアマネジメント）は，これからの時代のまちづくりの一形態である。その精神は「民間主導でエリア管理を行う」につきる。これまでのまちづくりは多かれ少なかれ公的支援が主であった。しかし，これからは民間が中心となってエリア内にバスを走らせたり，歩行者空間の整備を行ったりすることもあろう。

　その意味では新しい時代の民による「民」益事業ともいえる。

　道路を「整備すること」に徹した20世紀を経て，「マネジメントする（利活用する）」時代となった。花を植えたり，イベントをやったり，清掃をしたり，安全性を追究したり，これらは欧米ではエリアマネジメント事業の主要な役割ともいえる。

　今後は本章で紹介したような都市経営理論を用いた With コロナの時代のエリアマネジメント手法が要求される。

　3密（密接，密集，密閉）を避けることは，個々に任せるよりも例えばエリアマネジメント団体が率先した方が効率性が上がるであろう。例えば，3密回避時代のイベントについてもさまざまな形態が存在するかと思われるが，エリアマネジメント組織が新しいイベントのモデルを見せることで，安全安心なまちづくりが可能となる。

　本書で紹介したような手法が，全国に広がり，民主導の新たな「民（公）益事業」となれば，その先には持続可能なまちづくりが待っている。皆さんの地域でも是非とも実践していただければ幸いである。

補論1　商圏の計算の仕方

　ここでは，補論として地域分析に必要な「商圏」の簡単な計算方法（近似値を求める）について述べたい。GIS（Geographic Information System：地理情報システム）を使わないで商圏人口の概数を知る方法を紹介しよう。

◎　半径50メートル商圏人口の簡易的把握
　例えば，ある町の「○○町1丁目」のケースについて考えよう。この図上で1点を選び，それを中心として半径50メートルの円を描く。この半径50メートル圏を50メートル商圏と呼ぶことにしよう。
　次に，この50メートル商圏を含む○○町1丁目の人口の合計を求める（ここで○○町1丁目が50メートル商圏より大きいものと仮定する）。具体的な○○町○丁目の人口の取得については，e-Stat（政府統計の総合窓口）というGISのデータベースにアクセスする。ここには「統計データを活用する」の部分に「地図」のページがあり，ここで町丁目ごとの人口や面積データが「dbfファイル形式」で格納されている。例えば，「e-Stat」→「地図で見る統計（統計GIS）」→「境界データダウンロード」→「小地域」→「国勢調査」→「2015年」→「小地域（町丁・字等別）」→「世界測地系平面直角座標系・Shapefile」→「宮崎市（例）」という順序でダウンロードすると，この「dbfファイル」がダウンロードできる（なお，地図データはShape fileという形式で保存されている）。この「dbfファイル」を「Excelファイル」で変換して（ここでは，ネット上にフリーの変換ソフトがあるのでそれを利用した）読み取ると，面積は68,401 m²（宮崎市橘東5丁目の場合）と出ている。

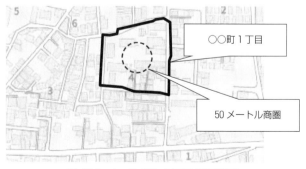

図補3-1　○○町1丁目周辺地図

なお，商圏が半径50メートルの場合，その面積は7,850（半径×半径×円周率3.14を用いて）m² である。ところで，半径50メートルを含むエリア（町丁目）の面積の合計は，68,401 m² なので，「全体面積」に対するこの商圏（半径）50メートル面積の比率は7,850÷68,401で11.4％となる。

　このエリア（宮崎市橘東5丁目）人口の合計は845名（e-Stat データより数値の取得）⁹⁾なので，この845人に11.4％をかけて，約96人となる。つまり，<u>50メートル商圏は約96人</u>となる。このように，「面積割合（この場合，1キロ圏とそれを含む町丁目区分の地域の集合体）」を人口の割合であると仮定して配分する点が重要である。このケースでは，町丁目（区画）がいくつかに分かれていないが，もっと広域で分かれている地域は，その他の「町丁目」を示す地図で確認し，面積割合で按分すれば求められる（次の項参照）。

◎ 色々な地区にまたがる商圏の計算方法

　続いて，商圏がいろいろな地区（○○丁目）にまたがる場合の商圏の人口を求めよう（単純化のために20メートル商圏とする）。まず，中心点を決める（百貨店や，駅，ビルなど）。そこから半径20メートルをコンパスなどで地図上に書く（図補3-2参照）。

　図補3-2の場合，20メートル商圏の部分が点線で書かれている。そして，この円（20メートル商圏）が5カ所の丁目区分のエリアに部分的に重なっている。この点線で示された円（20メートル商圏）に「少しでも重なっている部分の地区」の面積と人口をまずはすべて足し算を行う。その結果，この土地（1丁目から5丁目）面積の合計が5,000 m² で，上記の5カ所の土地の人口の合計が150人であることがわかる。

　なお，点線で書かれたこの円の面積は半径20メートルの円なので，面積は1,256 m²になる（半径の2乗×3.14）。

　この円（商圏）が少しでも触れる土地の面積は，合計5,000 m²だった（1丁目の面積500 m² + 2丁目の面積1,000 m² + 3丁目の面積500 m² + 4丁目の面積2,000 m² + 5丁目の面積1,000 m²）。続いて，土地面積（5,000 m²）に対する円の面積（1,256 m²）の比率を計算すると約25％であることがわかる。

　この比率（0.25）に，先ほどの1丁目から5丁目までの人口の合計150人の人口をかければ，37.5人となる。この37.5人が半径20メートルの商圏人口の概数となる。同じ考え方で，1キロに拡張すれば1キロ商圏人口の概数を得ることができる。なお，ここでの計算は手による計算でできることを優先させたために厳密な数値ではない。ただ，GIS（地理情報システム）などソフトウエアを用いた分析も厳密な数

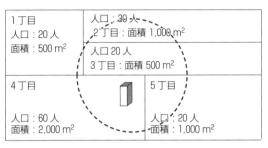

図補3-2　20メートル商圏の計算

字ではなく上記の按分をもう少し丁寧にやっただけである。本補論ではその計算方法が「按分（上記のように面積による割合配分）」を利用している点を理解していただくことが目的であり，GIS も各自勉強されることをお勧めしたい（特に無料ソフトの Q-GIS は利用が平易である）。

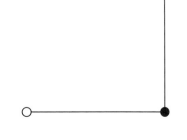

補論2　RとPythonについて

　本分析では，ネットワーク分析で用いた「R」と人工知能での計算に用いた「Python」などのプログラムソフトを用いたが，以下その概略のみについて説明をしたい。詳細については，近年簡易な専門書籍が出ているのでそちらを参照されたい。Rについては『Rによる統計データ分析入門』（小暮厚之，朝倉書店，2009年），Pythonについては，『Pythonによるあたらしいデータ分析の教科書』（寺田学ほか，翔泳社，2018年）などがわかりやすい。

◎　Rとは何か
　R言語（ソフト）は，近年，あらゆる統計分析で利用されている。統計処理言語（ソフト，無料）である。
　プログラムを書くことに抵抗を示す方も多いが，Rの場合，プログラムを書くのではなく「（既に存在するものを）利用する」だけである。エクセルほど平易ではないが，ゼロからプログラムを書く必要はないため，扱いやすい。
　プログラムの基本操作である，「BのデータをA」に入れる，などの場合は，イコール（＝）ではなく，＜－の記号を用いる。つまり，＜－の右辺に例えばすでに自分のパソコンなどに格納したデータの所在を書いて，＜－の左に出力先を出す。例えば，R上の「データA」という場所に，すでにエクセルなどで作成したデータBを格納したい場合，以下のように書く。

　　　データA　＜－　エクセルデータ（B）

そして，その下の行で

　　　データA

と入力し，エンターキーを押せば，画面上にデータAが表示される。

　このデータA（今はR側に移動したデータ）を用いて何らかの統計分析を行いたい場合には，「すでに第3者が作成した分析プログラム」を利用すればよい。例えば，「平均値を計算する」というプログラムがネット上にあったとしよう。データAを使って，平均値の計算をしたい場合には，「データの指定」，「分析方法の指定（平均値の計算）」，そして「結果の出力」，の命令文を書けば結果が出る。

つまり，

第 1 段階）　エクセルなどで作成したデータを R 上で呼び出す：

データをエクセルで入力し，これを「R で読み込ませる」。例：（csv ファイルの場合は）データは「read.csv」（csv ファイル）などで読み取るケースが多い。

第 2 段階）　読み込ませたデータを R で「処理」する：

回帰分析（データ間の因果関係の分析。例：ある変数（中古車の値段）について，この値段に影響を与えそうな 1 つ，ないし複数のデータ（走行距離や年次など）をもちいて関係式を導く）の場合「lm」という関数を用いる[10]。この，「lm」は回帰分析をやる，という意味の R で指定された命令文である。

第 3 段階）「計算結果」を画面上で出力する：

分析結果については，例えば KEKKA などの文字変数を作り，そこに回帰分析結果を格納する。そして，summary（KEKKA）などと打ち込めば，詳細な分析結果を得ることができる。

以下，例を見ながら説明をしよう。

まずは，自分でデータを作る。エクセル上で，説明される側の変数を Y，説明する側の変数を X1，X2 とするようなデータを作成し，csv ファイルとしてドキュメントフォルダなどに保存する。

続いて，R を起動させ，画面上に＞と出てくるので，その右側に

```
df<－read.csv("data1.csv")
```

と記入する。ここで，df（データフレームの略）とは，自作データの R 上におけるデータの入れ物である（名前は df でなくても良い）。ここに Excel で作成し，csv 形式で保存した data1 というデータの所在を＜－の「右側」に記入する。なお，データの格納場所と，R の作業場所とが同じディレクトリーであれば，例のようなこの書き方で良いが，違う場合は，下記「注意事項」を読むこと。

注意事項：

データが存在する場所が R の作業場所と同じディレクトリーでない場合は多い。これを意識せずに上記 df にデータを格納をすると，エラーが出る。この場合には，データの存在場所を R の作業場所に移動させなければならない（R の作業場所のディレクトリーについては，getwd() という命令文を用いれば調べることができる）。この事例では，データも R の作業場所もおなじ

Document というディレクトリー上にあった。よって，df＜－read.csv("data1.csv") だけのシンプルな指定で良かった。しかし，例えば D ドライブ（USB など）に自作の R フォルダを作り，そこに自作の csv データがある場合には，df＜－read.csv("D:/R/data1.csv") など「データの存在場所の説明付き（D:/R/などの指定）」を加えて書かねばならない。また，入力時に<u>不要にスペースを入れて入力すると，エラーが出るので入力文字は詰めて</u>記入する。

この段階まで終われば，df という箱にそして，自作データは格納されている。ただ，まだ，画面上には「出力」されていないので，以下，

    df

と入力をすると，以下のデータ（著者作成）が画面上に表示される。

```
     Y   X1  X2
1  250  100  10
2  300   80  16
3  320   75  18
4  400   50  24
5  200   90   5
```

続いて，この df に格納されたデータを用いて次に分析を行う。先述した回帰分析の場合は lm(Y〜X1＋X2) などのように記入する（注：lm は回帰分析を意味し，Y が被説明変数，X1，X2 が説明変数）。

なお，df に格納されているのは Y データ，X1 データ，X2 データなので，$ の記号を用いて，例えば Y のデータの場合は df$Y と記す。同様に，X1, X2 も df と $ を用いて df$X1, df$X2 と書く。

    lm(df$Y〜df$X1＋df$X2)

最後に，ANSWER という自作の変数（箱）に lm（回帰分析）の分析結果を格納する。

    ANSWER＜－lm(df$Y〜df$X1＋df$X2)

そして，最後に summary という命令文を用い，以下のように記入する。

    summary(ANSWER)

そして，エンターキーを押すと，以下の様な解が画面上に出力される。

Coefficients（係数）	Estimate（推定値）	Std. Error（標準誤差）	t value（ t 値）
(Intercept（切片）)	34. 167	2. 050	16. 663
df$X1 (X1 データ)	− 9. 833	3. 552	− 2. 769
df$X2 (X2 データ)	37. 667	3. 668	10. 269

このように，R 上で「データを呼び出し」，「分析」，「結果を出力する」，が R 型のソフトの特徴である。プログラミングというより，命令文の上から下への列挙といえよう。本稿においては同様な手法で，ネットワーク分析を実施している。鈴木努（金　明哲編）『ネットワーク分析 第 2 版（R で学ぶデータサイエンス）』（共立出版，2017年）などが参考になる。

◎　Python の場合（人工知能）
　人工知能の計算には，Python という無料のプログラムソフトが一番使いやすい。Python の扱いについても基本的には R と同じである（命令文を列挙する）。
　R では，＜＝でデータの格納（右のデータを＜－の左側に等）などを行ったが，Python では，＝の記号を用いる。Python に関する詳細な説明は紙幅の都合もあり割愛したいが，以下重要な点のみについて述べたい。
　第 1 に，Python を用いて人口知能の分析を行う場合には，いくつかのサブ（補助的な）プログラムを同時にダウンロードする必要がある。特に行列計算などについては Pandas や NumPy という拡張モジュール（サブプログラム）をまずダウンロードしなければならない（画面上にまず，import pandas as pd などと記入）。また，人工知能などの計算については Python の機械学習ライブラリ「scikit-learn（サイキット・ラーン）」などを利用しなければならない。
　第 2 に，R と同様に，エクセルなどで自作した学習用のデータを Python 上で認識させる必要があるが，その際，学習データとテストデータを用意する必要がある（csv ファイルなどに保存）。
　Python 上では，この自作の csv ファイルのデータを呼び出し，さらに，当初より学習データとテストデータに分類することが重要だ。学習データの場合は，X_Train などと表記されるケースが多く，テストデータは X_Test などと表記されるケースが多い。このように，まずは学習データを用いて，繰り返し学習させることからはじまる。
　第 3 に，この学習データを用いたディープラーニングの結果を別の変数に格納する。なお，本書においては，scikit-learn の MLPClassifier を用いた。この学習結

果を用いて，テストデータ（X_Test）等で正誤判定などを行い，精度（的中率）を確認するというのが一般的な AI（人工知能）分析のアプローチである。

　著者は関東地方の商店街アーケードの写真と関西地区の商店街アーケードの入り口の画像に差異が存在するとの仮説を立てて，分析を行ったことがある。インターネット上の画像データを抽出し，画像認識用の AI プログラムを Python で作成し分析を行ったが，判別結果はあまり良くなかった。学習用のデータが少なかったのが原因なのかもしれないが，人工知能の分析には学習データの数が重要となる（近年では，少ないデータで学習ができるようなプログラムも開発されている）。

■　■　■

●注

1）Rを用いたネットワーク分析については「データ解析・マイニングとR言語」など
を参照されたい（https://www1.doshisha.ac.jp/~mjin/R/61/61.html）。

2）坂田一郎・梶川裕矢・武田善行・柴田尚樹・橋本正洋・松島克守「地域クラス
ター・ネットワークの構造分析── ‘Small-world’ Networks 化した関西医療及び九州
半導体産業ネットワーク──」経済産業研究所，RIETI Discussion PaperSeries，06-
J-055，2006年。

3）若林直樹『日本企業のネットワークと信頼──企業間関係の新しい経済社会学的分
析──』有斐閣，2006年。

4）本分析においては，エリアの機能（ビジネスエリア，観光エリア）を地域マップよ
り定めた。エリアの「隣接性」を重視しているため，エリアとエリアの距離について
は等距離を仮定している。

5）2017年11月に鯖江市の「NPO法人エル・コミュニティ」がIT×ものづくりの拠点
を開設している（https://www.city.sabae.fukui.jp/users/sabae_biyori/html/it.html）。

6）拙著『シャッター通り再生計画』（ミネルヴァ書房，2010年）などを参照されたい。

7）上昇価値，下落価値の簡易的な計算方法については拙著『シャッター通り再生計画』
の p.58を参照されたい。

8）拙著『シャッター通り再生計画』p.64。

9）e-stat のホームページで，「地図で見る統計（統計 GIS）」→「統計データダウン
ロード」→「国勢調査」→「2015年（本稿執筆時点では最新）」→「小地域（町丁・字
等別）」→「男女別人口総数及び世帯総数」→「宮崎県（CSV データ）」の順で人口
データの取得は可能である。

10）Rはパッケージをインストールすると lm 以外にもさまざまな分析が可能になる。
Rの画面上で install.packages（"○○"）と書いてエンターキーをたたくとインストー
ルできる。○○は自分が行いたい統計パッケージをネット上で探し，その名称を記入
する。

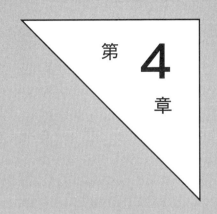

第 4 章

エリアマネジメントの組織像（主体像）

── 徹底した地域へのこだわり ──

は じ め に

With コロナの時代には遠方への移動が制限される傾向にある。

その結果，まちづくりについても，「近隣」の顧客がより重要となる。従来のエリアマネジメントは，郊外を含む中心市街地周辺の住民をイベントなどで中心市街地に呼び寄せることを目的の一つとしていた。その意味では，中心からの半径10キロ圏程度の顧客層をターゲットに入れていたといえる。しかし，With コロナの時代は，こうしたイベント集客型の活性化手法はリスクを伴う。

そこで大事なのが，中心市街地周辺，例えば1キロ圏の住民が顧客となって地域のステークホルダーになるという都市経営戦略である。全員参加型といっても良い。つまり，これからの時代はこうした「1キロ商圏＝極周辺」を巻き込むエリアマネジメントが求められよう。第3章でも検討したが半径1キロ圏内の人口は地域再生に重要な役割を果たしている。

ところで，こうした周辺部のエリアマネジメントを行うには実行力を伴う組織が必要になる。本章では以下3つの事例を紹介したい。

第1に，極周辺商圏の重要性に加え，エリア全体の経済活動をバランスよくマネジメントしている奈良県桜井市の「桜井まちづくり株式会社」の事例である。

第2に，駅前再開発とリノベーション型の不動産再生をほどよくミックスさせている「まちづくり福井株式会社」の事例である。

第3に地域商社をはじめさまざまな事業を展開している「こゆ財団」（宮崎県児湯郡新富町）の事例について紹介を行いたい。With コロナの時代には，いずれも「リスク管理」「エリア管理」「情報発信」をさまざまな手法で行う組織の存在が必要である。そして，徹底した地域へのこだわりがキーワードとなる。以下，順に見てみよう。

1 桜井市のまちづくりの概要
——エリアマーケティング先進地——

　第3章で紹介したPMP比率をはじめ，周辺地区のエリアマーケティング（商圏分析については，本章の補論を参照されたい）を丁寧に実践している地域の事例が「桜井まちづくり株式会社」（奈良県桜井市，代表取締役：岡本健氏）である。

　同社は，2016年6月に設立された（9月には都市再生推進法人へ指定）。発起人7名による株式資本参加のほか，桜井駅周辺エリア内の方々（地元有志，桜井市，大和信用金庫，南都銀行，桜井商工会，関係団体等）により資本出資がなされている（計1000万円）。その主な事業内容は，空き家ビジネスである。2013年の地域商店街活性化事業（アーケードの撤去）からスタートした。2015年には桜井駅の南口エリア将来ビジョン作成部会という組織が結成され，景観資源活用等に関する3検討部会にて検討が重ねられた。その後，こうした部会を経て，活性化のエンジンともいえる桜井まちづくり株式会社が設立された。2019年までの3年で約3500万円の売り上げを達成している。

　このまちづくり会社は，人口規模がそれほど大きくなく，特定収入などもないものの，きちんとした商圏マーケティングを行えば，コロナ禍においても収益が黒字になる可能性を有する，という意味で極めて貴重な事例である。

　その収益システムは空き家をリノベーションし，店舗営業を支援し，家賃収入をもらう，というものだが，特徴的なのは大手銀行をリタイアした地元出身者（岡本氏）が代表を務めながら，きめの細かい経営を実践している点にある。

　アンケート調査結果などから，中心部の半径1キロ以内に「飲食店」が不足していることをはじき出し，空き店舗のリノベーション事業という形

で再生を次々に行っており，成果を出している。

　土地は借地として借り上げ，10年後に地主に対し建物ごと返却する。家賃は固定資産税程度である。減価償却費を差し引いた部分は後に地主が購入する，というビジネスモデルである。地主は，10年間は固定資産税支払いを補填してもらえる部分の収入しかないが，10年後に修繕された建物付の土地が返ってくるという点にメリットがある。金融機関は基本的に無担保で貸し，これは人間関係の信用関係にもとづく収益モデルといえる。

研ぎ澄まされたエリアマーケティング技術

　桜井まちづくり株式会社の試みでまず興味深いのはカフェとフレンチレストラン経営の2店舗をプロデュースしている点である。いずれも手堅い経営がなされている。

　　2017年4月　櫻町珈琲店開店
　　2018年4月　ル・フルドヌマン〜櫻町吟〜開店

　顧客がある程度見込めない場所で商売を始めても採算性は期待できないが，上記2店の経営については十分な出店計画を行っている。

　その出店計画とは，第1にアンケート調査でどの業種が不足しているかを確認→（続いて）業種選定を行い，第2に一定の収益の目途が立ったら，空き家の確保，収益モデルの作成と資金調達，補助金の確保等を行い，第3に不確実性にも対応できる体制を常時とる，というものである。

櫻町珈琲店の立ち上げ（2017年4月）

　以下，桜井まちづくり会社が実施した櫻町珈琲店開店のケースを観てみよう。近鉄桜井駅はJR線と近鉄線が交わる大きな駅を抱えているものの，その周辺は住宅地区となっている。大阪まで約40分という近さではあるが，駅周辺部に飲食店が少なかった（人口は約5.8万人）。

　この点については地域へのアンケート調査でも確認された。周辺に飲食

店が少ないところで空き店舗を探し，そこに「コミュニティ機能」を付加することで「まちづくり」に関連させる。こうすることで国と桜井市からリノベーション事業に関する補助金（それぞれ3分の1づつ）を得ることができた。

土地の取得には多額のコストがかかるために，空き家をリノベーションして10年後に土地所有者に返す，という手法を採用した。具体的には，地主には地代を払い，借家人（カフェ経営者）からは家賃をもらう，という借地利用

写真4-1　櫻町珈琲店

の収益モデルである。その期間は10年，経営者から毎月13万円の家賃をもらうというやり方だ。地主には毎月2万円の地代支払い，差額11万円がまちづくり会社の収入源となる。ただし，まちづくり会社は普通の家をカフェにリノベーション（修繕）するのにかなりのコストをかけている。その総額が当初は約2300万円であった。こうした費用の工面（ファイナンス）であるが，3分の1が国，3分の1が桜井市，つまり，総額1527万円を行政からのまちづくりに関する支援金（補助金）でまかなった。残額（770万円）が金融機関からの借り入れとなった。しかし，後日，一部の再工事が必要となり，500万円の追加費用が発生し，これはまちづくり会社の役員が捻出した基金から支払うこととなった。[1]

これまで，このカフェは年間800万円ほどの売り上げ実績があり13万円の家賃の返済も滞っていない（コロナ禍においても大きな影響はない）。つまり，地代との差額11万円×12カ月で132万円の収入が確保できるので，10年間で1320万円の収入が予想される。さらに減価償却後の残存資産価値（地主への引き渡し額）があるほか，この先の10年間，この飲食店で培われたさまざまなコミュニティ価値はかなりの程度大きなものとなることが予

測される。

レストラン経営の場合　ル・フルドヌマン～櫻町吟～開店（2018年7月）

　同社はフレンチレストラン経営も手掛けており，リノベーションの規模
も大きい。

　リノベーションコストの総額は当初6572万円で，4380万円が公的部門か
らの補助金を利用することとなった。しかし，その後，鉄骨構造にする必
要が生じ，最終的に約1300万円オーバーとなった。この不足分については，
事業に対して責任を負えるメンバーが役員となり，不足額を貸付けという
形で補うこととなった。[2] 元本割れの可能性もあるが，経営努力により返済
される，との思いが役員にやる気を出させている。この役員による「貸
付」は劣後ローン（返済の優先度が低い）に近いものといえる。つまり，優
先度は低いものの返済は予定されている。この「経営の努力次第で劣後
（感）を払しょくできる」との思いがまちづくり会社のスタッフをやる気

写真4-2　ル・フルドヌマン～櫻町吟～
（岡本氏より提供）

98

にさせるのである。

採算について

レストランはフレンチ料理を比較的手ごろな値段で提供している。客単価は約5000円で月に600人ほどの集客がある（1日20人ほど）。こうした数値はいわゆる地元客対応であり，その主な顧客が周辺1キロ以上の地域から来ている。

よって，平時においては，これからも年商3000万円程度の売り上げがあるものと予測される。家賃収入は年間で360万円（月30万円）であり，地代支払い費用は月3万円なので年間支出は36万円，差額の324万円がまちづくり会社にとっての年間のリターンとなる。

銀行等の借り入れが2192万円，4380万円が補助金対応を行った結果，6572万円が外部からの資金となっている。先述のとおり，鉄骨工事などの追加工事が発生し，最終的には役員が合計約1300万円を負担することとなったが，年額324万円の収入が10年間にわたり入金される予定である。この10年分の収入である3240万円は，金融機関借り入れと役員からの支払の合計額の3492万円を下回るものの，減価償却後の残存資産価値（地主への引き渡し額）でカバーできる。この結果，まちづくり会社としては，黒字経営となる見込みである。

宿泊施設（民泊）

続いて民泊経営について見てみよう。民泊形式の宿泊施設「蔵の宿　櫻林亭」の運営がスタートしたのは，2018年8月である。この民泊は年間200万円ほどの売り上げがあるが，土地は借地なので，毎月地主に4万円ほどを支払っている（年間48万円）。つまり，差額の150万円ほどで運営を行っている。費用は，コンシェルジェ，ハウスキーパー費用などである。

初年度が54泊（8月から翌年7月まで）で，翌2019年度が100泊程度の利用となっている。

写真4-3　蔵の宿　櫻林亭

　リノベーション総事業が建物部分で4000万円，これに対し補助金等で3000万円が支払われている。桜井市等で1000万円，民都機構が1000万円であり，残りが銀行借り入れで1000万円となっている。これでも不足する残額を役員が支払っている。ただし，年間収入が安定してくればこの残額はほぼ返せる計算となっている。

　なお，年間の宿泊のうち，20泊分がふるさと納税部分で賄われている。最大180泊が可能なので，一泊2万円から3万円として約500万円が10年間支払われることになる。金融機関からの借り入れ部分の返済が毎年100万円程度発生するが，諸経費を支払っても黒字になる計算である。

ふるさと納税サポート機能

　最後にふるさと納税の支援事業について紹介したい。これは，桜井市のふるさと納税について同まちづくり会社が商工会と協力しつつ，返礼品等の選定，配送などを行うもので，納税額の4％を手数料（配送手数料）としてもらうことにしている。3年ほど前から関わるようになり，当初500万円の歳入だった税収額が今では2億円を超えるまでに成長した。

　　［ふるさと納税額の推移］
　　2017年　7000万円
　　2018年　1億円

2019年 4 月から12月　　 1 億9800万円のふるさと納税

まちづくり会社としては，800万円の収入だが，商工会以外の商品を返礼品として扱う場合には独自に価格に15％の上乗せが可能となっている。全体の取引の 4 分の 1 ほどがこの15％（仕入れに上乗せ部分）＋ 4 ％（全体の販売手数料）で19％上乗せで一部商品売り上げから手に入る仕組みがあり，この部分の収入も大きい。

なお，この15％部分は市内40業者から，それぞれ 2 品目ないし 3 品目で，合計100程度の品目を扱っている。かつては市外商品が多かったが（2019年度から総務省の「返礼品」基準が厳しくなり地元品のみ），その結果扱えるエリアが狭くなってきたので，市外調達の返礼品の場合，お断りせざるをえないという。この結果，新たな市内の特産品を扱うなどの場合，15％の上乗せ仕入れが可能となったのである。

コロナ禍における環境変化に「オプション型」手法で対応

ところで，コロナ禍は外食産業の経営を悪化させているが，上記の櫻町珈琲店については周辺商圏（ 1 キロ商圏程度）をもともと重視していたために，売り上げは下落したもののそれほど大きな影響は出ていない。その意味で外的リスク（With コロナ環境）に強い経営形態といえる。

ただし，フレンチレストランの「ル・フルドヌマン〜櫻町吟〜」については，高級レストランであるためか遠方客も商圏の対象であった（つまり，商圏範囲が広い）ため売り上げは落ち，本稿執筆時点の2020年 9 月時点では，現状は給付金，補助金等で対応しているといった状態だ。

そこで，桜井まちづくり株式会社は，本書の 3 章で述べたような「オプション的発想（他の経営選択の模索）」で新事業を展開している。それらは，① 所有する自家農園での青空レストラン事業の実施，②（自家）農園野菜の市場への出荷，③ テイクアウト事業市場の模索，④ ふるさと納税の返礼品の提供，などである。

新型コロナウイルス問題が顕在化してからわずか半年で，次々とリスク対策を打っている点は注目に値する。

さらに，同社は今後，ふるさと納税返礼品事業の強化，これまで進めてきたサイクルツーリズム（地域サイクリング・スポーツ）の推進，地域限定旅行業の登録による地域旅行商品の開発など，攻めの経営戦略も打ち出している。新型コロナウイルスによる環境激変をチャンスに変えるためにさまざまな手を打っているのだ。

リスクに強いマーケティング

本節の最後に，この桜井まちづくり株式会社のエリアマネジメントの特徴についてまとめたい。

第1に，まちづくりが中心の事業なので，どの事業にも公益性が求められる。また，民間活用でもあるので，地域の経済活性化に資する事業も求められる。この両方を，元銀行員の経験を持つ同社の代表取締役岡本氏が見事なファイナンス技術を用いることでマネジメントに成功している。

第2に，徹底的なマーケティングを実施したうえでの需要の発掘（この場合はカフェ，レストラン）である。改修費用については3分の2を公的機関（政府や自治体の補助金）から調達し，不足分が生じた場合は役員が支払うという制度の徹底，そして，第2の収入として「ふるさと納税制度」のマネジメントの参加，など攻めの経営を行っている。

第3に，役員は当初は無報酬であるが，カフェ，レストラン，民泊施設などで黒字が出た場合には配分があるという点である（専属の職員は有償で採用している）。つまり，役員が立て替えている部分はいわば劣後ローンのように「最後」に返済が予定されているので，役員としてはこの経営が「ほっておけない」システムとなっている。また，うまく経営が回れば自分にも報酬が出る可能性もあり，これも一つの労働インセンティブとなっている。

第4に，まちづくり会社に地元の信用金庫が入っており，無担保ローン

が実現できている点も重要だ。この時点で，役員はリスクを回避できる。つまり，ノンリスクでありながら，地域に愛着のあるメンバーで街の活性化のために大掛かりな再生策を実施している。その結果，「地域のにぎわい」や「コミュニティの持続」など公的価値の創出に貢献している。行政としても毎年人件費などを負担する必要はなく，桜井市でいえば，合計約2700万円ほどの支出（補助金）で，持続可能なまちづくり会社の支援ができているのだ。10年後はそれぞれまた契約をし直すが，その時点で補助金を支払う必要はない（運営経費に対する補助ではないので）。

　第5に，経営において定期借地権契約をうまく利用している点である。

　今回の場合，地代（月額）はカフェで2万円，レストランで3万円，民泊で4万円である。年間数十万円程度，10年間継続する。このような安い地代が実現できたのは「10年間」の定期借地だからだ。10年後に減価償却費を勘案したうえで地主に返却する。このメリットは地主の側には大きい。特にレストランの場合は，まったく新しい建物に生まれ変わっている。おそらく10年後は所有者が変わる形で，経営が続くであろうが，当初のまちづくりに対する目的は一程度満たされているはずである（地域のコミュニティの拠点など）。

　第6に，先述したコロナにおけるさまざまなリスク対応である。

　コロナ禍においてもカフェ部門は一程度売り上げを維持しているが，レストラン経営については適宜コロナ関連の給付金等を利用している。当座は，こうした助成でしのぎつつも，テイクアウト商品への移行や，農業部門への進出などすでにさまざまな選択肢（オプション）を採用している。また，時期が時期なだけにふるさと納税でのコロナ対策（応援）寄付が増えている点に鑑み，ふるさと納税の返礼品市場へのさらなる参入の可能性を探るなど，「攻めの経営」も実施している点は特筆すべき点といえよう。

　このまちづくり会社の経営モデルは，Withコロナの時代において特に参考になるものと思われる。周辺人口（極周辺）を重視しつつ，さまざまな変化に対応する「リスク対応力」を有しているからである。

　続いて福井市の事例を紹介したい。

　福井市の人口は約26万人，まちには路面電車が存在し雪国情緒あふれる雰囲気を有している。そんなまちが全国から注目を集めている。近隣商圏を重視した中心市街地の再生事業を「まちづくり福井株式会社」（代表取締役：岩崎正夫氏）が実践しているからである。

　まちづくり福井株式会社を中心に，福井市では中心市街地活性化の目玉として従来型の都市再開発事業とリノベーション型の再生と同時並行的に実施されている。リノベーション型再生とは，文字通り古い建物を「リノベーション（改修）」し，現代的な物件として新たに市場に流通させることである。建物の所有権などは移動せず，既存ビルを取り壊すわけではないので環境的な負荷も小さい。さらに，最近は新しい物件に対し新たな借り手を探す面倒まで見てくれる「家守（やもり）」と呼ばれる組織も生まれた。こうした手法は東京の神田や福岡の北九州で相次いで誕生し，現在全国的に広まっている。この手法を学ぶための「リノベーションスクール」も全国各地で開催され，和歌山市等でもすでに開催されている。スクールで学んだ生徒たちが次々とリノベーション型再生を実現させている。

　ところで，もともと福井市の中心市街地では JR 福井駅から近い1キロ圏内地区を再生ターゲットの一つとしている。駅前再開発型事業であるイベントや住宅などを含む複合施設「ハピリン（低層階は複合商業施設，高層階はマンション。福井駅西口中央地区第一種市街地再開発事業）」を2016年に完成させている。このハピリンができた当初，周辺の空き店舗数は減少したが，最近はやや横ばいとなっている。特筆すべきは，福井市ではこうした再開発事業に加えて先に述べたリノベーション事業も同時に行われ，拠点施設を取り囲むかのようにリノベーションされた物件が次々と誕生している点である。

　駅前再開発は高収益が期待されるが，一方で空室リスクなども抱える。一方，リノベーションされた物件にかかるコストは高額ではなく，その意味でリスクの低い事業といえる。その結果，都市に多様性を与え，ある地域が衰退しても他地域がその分を補う，という意味で都市全体のリスクの低減に成功している（さまざまな株を購入することで全体のリスクを低減させるいわゆるポートフォリオの理論の都市への応用といえる）。

　With コロナの時代においてはこうした，地域内でさまざまな機能を分散させることは重要である。予測できないリスクに対応できるからである。

　さらに，市民の巻き込みに成功している点にも注目したい。

　従来の地方都市の再生は再開発事業を実施し，そこを拠点として盛り上げるといったケースが圧倒的に多かった。いわゆる「拠（点）」整備型が多数見受けられた。しかし，福井市では先に述べたリノベーションが，「点」の再生を「面」としてとらえ，より多くの市民を巻き込んでいる。また，これまでのまちづくりの参加者は商業関係者・行政が圧倒的に多かったが，リノベーション事業の場合，若手のデザイナーや建築士など企画段階からの参加者の発掘に成功している。リノベーション事業の特徴はこのように参加者が多種多様であり，若い発想が見受けられる点にある。最近では，リノベーションに携わったメンバーらが声がけを行い，市街地のさまざまなイベントなどに自ら出演，もしくは応援するマチなかサポーター（制度）が設立されたり（2016年），美しくなるためのイベント「美のまちふくい（街中でのメイクに関するイベント，2015年から）」が実施されたりするなどさまざまな仕掛けが生まれてきている。

　まちは生き物である。また，シャッター街，人口減少などに危機を感じる市民は以前に増してまちへの参加意識が高まっている。行政や関係者が箱モノを作って「さあ集まれ」の時代は去り，市民が企画当初から一緒になって「まちをつくる」時代の到来といえる。福井でのリノベーション型市民巻き込み作戦に今後も注目したい。

With コロナ時代における地域戦略

　まちづくり福井株式会社もコロナ対策事業を実施している。感染予防策をとりながら営業する飲食店を支援しようと6月からオープンカフェをスタートさせた。オープンカフェ事業自体は，すでにまちづくり福井株式会社が2013年から「街色 Open Cafe」として実施，継続している事業だ。今回は，より広く参加を募ることでコロナ禍で売り上げの落ちたカフェなどの経営支援につなげたいと考えている。飲食店の参加費は4400円で，道路の占有料などに充てられる。まちづくり福井株式会社は面倒な手続き³⁾（占有許可の申請）を代理で行う。すでに経験があるので，テーブルやいすなどの貸し出しも適宜行える状態である。道路には県道，市道，警察などさまざまな行政担当が存在する。しかし，民間の立場で，地域を「面＝エリア」ととらえることで行政の垣根を越えた，さまざまな事業のオプションを探ることができる。

　さらに，地元生まれ，育ちのファッション小売店を支援するために，福井県の「クラウドファンディングを活用した事業継続応援プロジェクト」事業を活用し，20％のプレミア付きの未来チケット（買物券）を発行し，ファッション小売店を応援する企画を実施した。

　実施期間は2020年6月1日（月）から6月30日（火）までで，支援内容は，① 未来チケットで応援プラン5000円（未来チケット6000円分利用可能），② 未来チケットで応援プラン1万円（未来チケット1万2000円分利用可能）という，（コロナが収まってきた）いわゆる未来での利用チケットと，③ 支援金で応援するプラン2000円（店舗指名で応援，未来チケットなし）と，④ 支援金で応援プラン2000円（プロジェクト運営応援，未来チケットなし）などである。

　チケットの使用有効期間は2020年8月1日（土）から2021年1月31日（日）までとやや広い期間となっており，この企画は大変好評だった。

　この企画への参加店舗数は63店舗，延べ支援者数は1063人，調達目標額

は1000万円だったのが，達成額は1032万5000円と目標を超えることとなった。

　上記に加え，繁華街の飲食支援（片町・浜町限定 プレミアム飲食チケット）の販売も実施した。これは，片町・浜町という福井の飲み屋街支援のためのもので，飲食店で１セット5000円のチケット（1000円分６片綴り）を使って6000円分の飲食を楽しむ事が出来るイベントである。各店舗で使用されたチケットは，福井市の「中小企業団体等事業継続支援事業」を活用し，事務局が１セット6000円で買い取ることで，飲食店の負担なしで20％のプレミアが付く仕組みとなっている。実施期間は2020年９月１日（火）から11月30日（月）までで，実施場所は，片町，呉服町エリア，浜町エリアの一部であるが，1500セット限定で販売したところ，完売となった（なお，店舗参加費は2000円だが，48店舗が参加（2020年10月26日現在））。2020年10月時点で，GoToイートキャンペーンなども注目を集めているが，こうしたプレミア型のチケットの売れ行きはきわめてよい。

　まちづくり福井株式会社がこうした試みを次々仕掛けることで，街には活気が戻りつつある。

3　空き店舗ゼロの地方商店街
──地域商社「こゆ財団」がつくる新しい地域像──

　最後に，人口約1.6万人の宮崎県児湯郡新富町の事例を見てみよう。同町の「るぴーモール虹ヶ丘商店街」は店舗数30店舗，大型スーパーを含む小規模商店街だが，空き店舗率はゼロである。2007年から2014年までの売り上げはプラス成長しており，県内３位となっている。

　この商店街の特徴は，①「コンパクト」な規模でありながら周辺に住む（極周辺部の）市民ニーズを取り込んでいる点，②個店の中に，オーダーメイドを扱うゴルフ用品店，時計販売，修理店（ただ販売するだけではなく，修理サービスや特注品を製造するなど）など個性あふれる店舗が数多く入って

写真4-4　るびーモール虹ヶ丘商店

いる点，③空き店舗ができると，場合によっては商店街メンバーで店舗の買い取り等がなされる点，そして，④地元の「こゆ財団」という組織（一般財団法人こゆ地域づくり推進機構（代表理事：齋藤潤一氏））が同商店街でイベントを実施したり，空き店舗を埋めたりなど，「外部から支える地域応援団が存在している」点などである。

　また，同商店街にはいわゆる二毛作ビジネス（一つの店舗で同じ経営主体が2つのビジネスを実施）を行う店がある。例えば，外観は「雑貨屋」だが名称は「米屋」という店舗もあり，雑貨を主体としながらも地元のお米を販売している（2階はガス屋で同店が経営）店舗が存在している。これは大阪市内や四国の一部の地域でも見られる現象といえるが，With コロナの時代，不確実性の高い昨今，こうしたビジネス形態——二毛作ビジネス——はさまざまなビジネスの可能性を広げる。

　ところで空き店舗ゼロの背景として，先述の「こゆ財団」の役割が大きい。この組織は地域商社的な役割を果たす地方創生における新しいタイプの組織である。

こゆ財団とは——地域に眠る資源を掘り起こし，付加価値を高める地域商社——

　こゆ財団は2017年4月に宮崎県児湯郡新富町が設立した地域商社で[4]，旧観光協会が法人化されたものである。「スピード経営」をモットーに，『特産品販売』と『起業家育成』を主な目的としている。2019年7月には「宮崎ローカルベンチャースクール」と呼ばれる講座（計5回でビジネスプランを練る）を実施した。こゆ財団の特徴は関係人口を増やすことで，将来の

地域を担う人材育成に重点を置いている点にある。これまでイベントや視察研修などで約2万人の関係人口を生み出しているという。[5)] 新富町のふるさと納税の運営を受託し，年間の寄付額は19億円であった（2017年4億円，2018年9億円，そして2019年は19億円に増加）。この寄付額の約6％がこゆ財団の活動資金になっている。

農業ベンチャーをベースに新富町をシリコンバレー化

興味深いのは，輸入が主となっている「ライチ」の国産化（一粒1000円）に取り組み，ここで得た収益の一部を再投資にまわすという試みである。ライチはふるさと納税の返礼品となっているが，2019年5月には民家をリノベーションして宿泊施設をオープンし，また，空き店舗を改装して「野菜カフェ」などをつくった。その他，農業データ分析の企業などの誘致にも成功している。なお，るぴーモール虹ヶ丘商店街では，この「こゆ財団」が主催となり7月から9月までの毎月，月に一度の夜市を開催してきた。これ以外の月では朝市を実施し，5000人ほどの来客があり，周辺への経済効果も発生している（コロナ禍以前）。

このように，ふるさと納税を原資としてこゆ財団が設立され地域活性化のために企業誘致というよりも「起業と事業誘致」を行っている点は注目に値する。特に，大都市から人材を呼び込んで「ヒト」を誘致することで持続可能なまちづくりを目指している。さらに，地域ベンチャーを育成し，「アグリビジネス」分野に特化させることで，地域アイデンティティを明確に定めている。

重要なのはこうした「新しい取り組み（こゆ財団の設立）」には経営リスクが伴うが，この経営リスクを「ふるさと納税事務の代理事業（納税寄付額の6％程度）」からの収益によりカバーしている点である。実際に，ふるさと納税額がこゆ財団設立以降に急増（3年間で約5倍）している点を鑑みれば，最も効率的にふるさと納税の歳入を新富町は得ていることになる。アメリカでのビジネス経験者をこゆ財団の専属スタッフに迎えるなど，経

営の新しさにもこだわっている。その結果，ITを利用した新しい農業ビジネスの展開とこの地域のシリコンバレー化など今後大きな伸びが期待できる試みといえよう。

Withコロナの時代は，地方財源は一層の枯渇リスクが伴う。そんな中，ふるさと納税制度を効率的に運営する新富町の「こゆ財団」の事例は，参考になるものと思われる。

先に紹介した桜井まちづくり株式会社も「ふるさと納税」にかかわる事業に参画しているが，Withコロナの時代には経営体の財政基盤を強化するためのさまざまな工夫が必要となろう。

コロナ禍でも積極的支援

新型コロナウイルスは外食需要が低下し消費が落ち込む児湯郡地域（新富町が属する）の農業も直撃した。

こうした中，こゆ財団では，ふるさと納税を活用し野菜に次ぐ重要な特産品である鶏卵の支援に乗り出している。「児湯一番」と呼ばれる卵のみを取り扱うことでブランド価値を創出しながら，販売促進を促している。同財団は納税ポータルサイト「ふるさとチョイス」で鶏卵事業者を支援する特集を公開したが，その特集記事では生産者の思い等もレポートしている。ふるさと納税は単に税金を集めるだけではなく「地域の情報発信」ツールとしても利用できる。Withコロナの時代にはこうしたツールは特に重要な役割を果たしている。

4　エリアマネジメントの視点から見た3組織

Withコロナの時代，本章で取り上げた3地域の新しいまちづくり組織はまさに本書で述べてきた民間主導であり，自らの「エリア」の「マネジメント」を実践している。その共通した特徴は以下に要約されよう。

第1に，まち全体の俯瞰が可能な組織，という点である。民間組織ゆえ

に，経営の自由度は高く，また民間の発想が最も必要な点である「リスク管理」にも優れている。

　桜井まちづくり株式会社は，徹底した周辺マーケティングの結果，会社自らが資金管理を行いリスクを取りながら真剣勝負の経営を実施している。まちづくり福井株式会社もエリア全体を俯瞰することで3密ではない歩行者道路に注目するなど，こうした民間組織による「俯瞰力」が重要である。こゆ財団は新富町を含む「児湯郡地域全体」の再生を考えている。

　第2に「やる気」の先にある「本気度」が伝わる経営となっている点である。著者は3地域すべてを訪問し，ヒアリング調査を実施したが[6]，この本気度は各地域においても共通していると肌で感じた。「結果を出したい」という民間組織ゆえの緊張感がそこにあった。With コロナの時代は特に経営の素早い「リスク管理」が重要となる。さまざまに降りかかるリスクに素早く対応できるかは経営への「本気度」に関係している。この「本気度」こそが不確実性の高い時代に最も必要な要素といえる。

お わ り に

　本章では，With コロナの時代における新しいまちづくり組織に関する事例紹介を行った。

　With コロナの時代には，地元周辺地域を科学的に分析し，サービスを提供するようなエリアマネジメントが必要になる。所属する都道府県をまたいでの移動などが敬遠されがちだからである。

　その点，桜井市の事例ではそもそもインバウンド客には依存せず地元客が満足するようなエリアマネジメントがコロナ禍以前から実施されていた。この「地元を大事にする」エリアマネジメントこそが With コロナの時代には重要となろう。桜井まちづくり株式会社が実施したように，市民ニーズの把握（商圏分析を含む）→検討会の実施→まちづくり会社が各種計画案を策定→公民連携で資金計画の実行→効果検証，のプロセスが重要だ。

これからは，周辺の顧客をより一層獲得する戦略が有効となろう。地域の潜在顧客を把握し，無駄のない広告キャンペーンを打つなどが必要になろう。その意味では，桜井まちづくり株式会社の手法はエリアの再生戦略として注目に値する。

　さらに福井市のように中心市街地をバランスよく発展させることで都市全体のリスク低減を図ることも大事である。With コロナの時代にはさまざまなクラスター感染が発生するかもしれない。ある地域のみ再開発等で発展させるのではなく，一部地区でリノベーションを行うなど都市の多様性（客層）を持たせることが必要である。この結果，クラスター発生時の面的なリスクも分散されるかもしれない。まちづくり会社が中心となって各種事業を展開しているが，エリアごとにきっちりとリスクを含めたマーケティングを行うことこそが With コロナの時代にはさらに必要となるであろう。

　こゆ財団のケースを含め 3 つの団体共に「一程度財力がある」点も重要である。そのための工夫として「ふるさと納税の事務」などに関わることも重要であろう。

補論　商圏分析を通じた喫茶店開業成立の可能性

　本章で紹介した桜井まちづくり株式会社は地域へのアンケート調査を実施し，周辺人口を意識したサービス提供を行っている。同社が実施した喫茶店経営が成り立つか否かにおいて，その都市での極周辺人口が重要となる。特に1キロ圏よりもさらに小さい300メートル人口など幅広い人口圏の把握も重要である。以下，この点

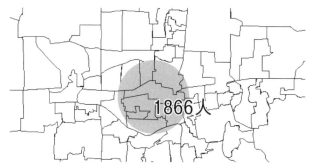

図 補4-1　桜井市中心部の周辺人口（300メートル圏周辺人口）

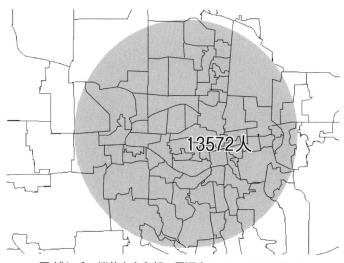

図 補4-2　桜井市中心部の周辺人口（1キロ圏周辺人口）

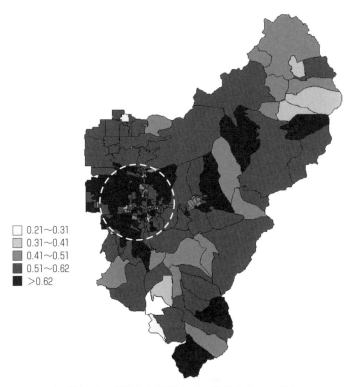

凡例
0.21〜0.31
0.31〜0.41
0.41〜0.51
0.51〜0.62
＞0.62

図 補4‐3　15歳から65歳までの労働力人口の分布

について数字（300メートル商圏人口，１キロメートル商圏人口）や，労働力人口
の比率などについて分析を行ったので見てみよう。

　桜井市は人口約６万人の都市である。上記１キロ圏人口は１万3572人であるため
に，約23％の人口がこの地区に集中していることがわかる。この値は第３章
（PMP比率の部分）で紹介された「地価上昇地区（約５％上昇）」に分類される。
つまり，人口集中度がもたらす絶対需要が多いことがわかる。つまり，コンパクト
シティ型の都市であり，さまざまな分野で十分な需要があるといえよう。なお，
300メートル人口についてはその数は1866人である。人口では１キロ圏人口（１万
3572人）の約７分の１となっている。しかし，面積比での計算（約10分の１）では
理論上1350人のはずだが，実際の人口はそれより多い1866人である。よって，300
メートル人口も比較的多い。この300メートル極周辺人口にも注目したい。

　最後に，労働力人口の分布について。図 補4‐3はQ-GISという無料ソフトを用

いて作成したが，アルバイトの募集などにおいてどの地点に集中的にチラシを配ったらよいかを同図は教えてくれる。点線部（円状）は中心市街地周辺区域だが，特に１キロ圏（図補4-2）の周辺部分の色が濃くなっており，レストラン経営に必要なアルバイトなどの募集はこの辺りを重点的に行えばよいことがわかる。

　さらに，この図補4-3からも明らかなように，人口が都市の中心部に集中していることがわかる。こうした都市では，都市全体がそもそもコンパクト化しており，中心市街地周辺でビジネスが行いやすい。エリアマネジメントの実践組織が中心となって，アンケート調査などで市民が不足しているニーズを掘り出し，各種エリア活性化戦略を立てることが必要であろう（桜井まちづくり株式会社はまさにこうしたマネジメントを実践している）。

●注 ────────────────────────────────

1）金融機関からの借り入れが770万円（金利1.2%），役員からの借り入れ返済500万円の計1270万円を10年以内で返さなければならない。

2）ただし，役員は低利率で会社に貸しつけている。

3）2020年5月22日付『朝日新聞』福井地方版の記事参照。

4）現在，地域商社は全国に60ほど存在しており，主に地域の特産品の販売などを手掛けている。NPO（非営利団体）などの形態を取るケースが多い。

5）2019年9月23日付『日経MJ』参照。

6）快く取材に応じてくださった，桜井まちづくり株式会社の代表取締役 岡本健様，福井まちづくり株式会社の代表取締役 岩崎正夫様，宮崎県新富町商業協同組合の代表理事 吉野大作様に謝意を表したい。

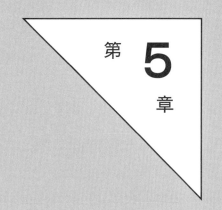

第 5 章

With コロナの時代に期待される
新しいエリア戦略
──インナータイプ，アウタータイプの再生策──

　第2章では，既存文献から再生のビジョンや組織の確認を行い，一方で
Withコロナの時代に合わせて今後変わるべき部分（＝マーケティングの方
向性）について確認を行った。第3章ではこの変わるべき部分の具体的な
内容について，7つの視点の提示を行い，第4章では，それを実行する具
体的な組織像の紹介を行った。

　本章では，これまでの議論を踏まえ，Withコロナの時代に必要な「こ
れからの」事例紹介を行いたい。ここでの事例とはコロナ対策に成功した
ケースだけではない。過去の事例だが，コロナ対策に今後通用すると考え
られるものを抽出した。例えば，インバウンド客の集客に依存せず，第3
章で紹介した周辺人口を大事にしている事例などである。この点を踏まえ，
新しい地域再生戦略として2つの策について考えたい。

　第1は，現在の人口を維持したままでの「工夫」を考える策であり，脱
3密時代のイベント，脱3密時代の「国内観光」，脱3密時代の「エリア
マネジメント」である。特に「（地域の）周辺人口」を重視した地域内周辺
重視の政策等をインナータイプの再生策と呼びたい。この「周辺人口」重
視を前提に，第3章で紹介した7つの視点（空間戦略，効率的店舗経営，財
源戦略，センチメンタル価値，リスク管理，ライバル・商圏戦略，AIの活用等），
などを用いて再生できるのがこのインナータイプの再生策の特徴である。

　第2は外部からの人口移動（地方移住等）を伴う形での再生である。こ
れまで海外からのインバウンド客の増加という形，つまり「短期的な人口
移動」による集客策が重要であったが，この手法の採用はここ数年は難し
いであろう。そこで，近年注目を集めているIT企業などの立地促進策な
ど，地方への企業誘致や国内の人口移動を図りつつ最終的に地域を活性化
させる手法が考えられる。これを，「アウタータイプの再生策」と呼びた
い。アウタータイプの再生策とは，つまり，居住人口そのものを増やして，

結果的に中心市街地や商店街などの活気を戻す手法である。エリアマネジメントを主導する民間団体の力も大事だが，行政などの応援も必要とする分野といえる。

　以下，まずはインナータイプの再生策から見てみよう。

1　インナータイプの再生策
——地域人口はそのままで再生させる手法——

（1）脱3密時代のまちづくりイベント
——野外でのカットイベント　和歌山県和歌山市——

　3密回避のまちづくりのあり方として，まずは興味深い「イベント事業」の紹介を行いたい。

　2020年6月，和歌山県和歌山市の和歌山大学前駅（南海電鉄）の西口の空きスペースにおいて「（髪の毛の）屋外カットイベント」が実施された。主催したのは，地元で鋏などを製造する会社の経営者とそのサポーターたちだ。彼らは，コロナの時代，自粛の重要性はわかるが「何もかも」自粛するのはおかしいと考えた。3密（密接，密閉，密集）の回避に注意を払いながら新しい時代のイベントを考える中で，駅前広場の屋外空間で髪の毛をカットするイベントをしよう，となった。

　市内の若手の美容師とこれを応援する若手のボランティアスタッフ（鉄道会社職員や大学生など），そして，このイベントで髪の毛をカットしてもらうために集まった親子連れ，総勢50名ほ

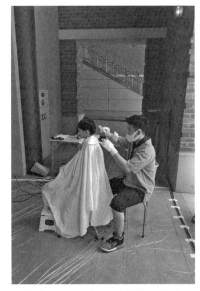

写真5-1　イベント当日の様子

どの来客があった。著者も参加したが，澄んだ外の空気を感じてのイベントとなり心地よかった。イベントも何もかもが規制されると気持ちも閉ざされがちになってしまう。しかし，外空間であれば，またソーシャルディスタンスを保てば，こうしたイベントは当然ながら可能となる。

　今後はこうした空きスペースを利用したイベントが増加するものと考えられる。

　なお，国土交通省は新型コロナウイルス感染症の影響に対応するための路上利用に関する規制緩和策を実施している（11月30日までの特別措置[1]）。これまでは路上での営業活動などは規制の対象であったが，今後は飲食店等のテラス席やテイクアウトのための施設の店先への設置がしやすくなる。商店街や，プロムナードは3密ではない。この法整備によって距離感を保ちながらこれからは路上で堂々とテイクアウト商売もできるし，こうした新しい形でのイベントも実施できよう。

（2）国内客をターゲットにした観光戦略──新潟県新発田市月岡温泉──

　新潟県はもともとインバウンド客に頼らない周辺客対象のエリアマネジメントを行っている地区が多く，With コロナの時代に参考になる事例が多い。以下に述べる新潟県新発田市の月岡温泉（100年の歴史を誇る）も観光客の約80％が周辺地域内の観光客である。

　同温泉では，2014年以降，合同会社ミライズ（以下，ミライズ）と呼ばれる若者を中心とした事業体を設立し，「日帰り観光客の集客」にターゲットを絞って温泉街の活性化事業を実施し，一定の成果を出している。

　この地域でまちおこしを実行しているメンバーは，ピーク時の半分ほどに減った観光客の現状を危惧し，温泉街の再生をめざした。この場所が勝負できるのは「新たなサービスの創出」という点に活性化の可能性を見出した。彼らが参考にしたのが，長野県小布施町のケースである。長野県の小布施町では，農業──特に栗農家──が自慢の地であったが，この「栗」に加え，「コト消費（体験）」などの総合的な観光サービスを充実さ

写真 5 - 2　月岡温泉の景観

せることで年間200万人の集客を実現させた。ミライズはこの手法を参考にすることとした。

　顧客のターゲットは日帰り客である。新潟県内だけでも200万人を超す居住人口があり，特に下越地域を中心とした地域をターゲットにマーケティングを行っている。宿泊者数は60万人ほどで，そのうち６割が県内客，３割が東北，残り１割が東海地方などとなっている。海外からの観光客は極めて少ないという意味では，コロナ禍においてもあまり影響されない観光地といえる。

　ミライズがマーケティングでこだわったのが，町の景観の統一感を整えることで観光客を誘発する，というエリア戦略である。統一された色の一つとして，「茶塀（茶色の平らな木材でできた柵）」事業をまずは自らの手で行った。駐車場などの鉄製のフェンスを材木を茶色に塗装した「塀」で囲み，街並みの統一感を出すことに成功した。

　また，道路の石畳化も行った。さらに，景観の多くが「茶色化」されている。それらは看板や自動販売機，郵便ポスト（郵便局からの許可が必要），バス停留所，消火栓などである。私有地は行政が苦手な分野といえるが，道路以外は観光協会を中心に「街並み整備事業」がなされている。

　こうした景観事業を主力に，その財源については観光組合から一部捻出

するという方式を採用している。

　不必要な出費を抑えることで基金化し，この基金からまちなみ整備事業への助成などに毎年200万円を使うこととした。申請者が助成金を受け入れられるまでのプロセスの簡素化も行っている（事務局補助金交付審査会→基金メンバー会議（若手の運営スタッフ）→決定）。なお，この助成金はリノベーション（店舗の改修）事業への利用の場合には上限を100万円とした。こうした基金を用いて，あるガス供給会社は一部業態転換を行い，駄菓子屋を併設するようになった。一般的にリノベーション事業には600万円程度のコストを要するが，このうち100万円が補助されることで割安となる。

　さらに，ミライズのスタッフは基本的には旅館組合の仲間から構成されている点にも注目したい。その理由は，他業種が入ると話がまとまらなくなるからだという。それならば同業だけでまとまった方が良いと考えた。

　ミライズの年商は約7500万円で，毎年１店ずつ開業している。2020年には７店舗目を開業した。これまで，正社員５名を雇い，全員が店舗経営に責任を担う「ワンオペレーション経営」を実践している。各種商品納入の手法にも工夫を施した。旅館組合が仕入れ業者を１社に限定することでコストを下げることにも成功したのだ。

　ミライズが運営する土産物屋（若者受けする明るい雰囲気の店）を訪れた顧客数は，2014年には約３万1000人だった（宿泊者数の6.2%）。しかし，2017年には16万2000人まで増え，宿泊客数の32%となった。主な経済効果として「宿泊客数の下落を食い止めた」点が大きい。かつてバブル期は120万人を誇った宿泊者数も，一時は35万人レベルにまで落ち込んだが，現在では年間観光客数は50万人から60万人まで回復している。なお，データのカウントはしていないものの，日帰り観光客は明確に増加したようだ。今後も，「日帰りでおしゃれな店」をモチーフに県内200万人の人口を主要ターゲットとして集客することを目標に経営を進めている。

　こうした，国内（特に県内）の周辺客に的を絞ったミライズの成功の秘訣は以下に要約される。

　第 1 に腹を割って話し合えるメンバーからなる活性化組織を作ること。ミライズでは気の合う若手と同業種を中心メンバーとしている。

　第 2 に，民間組織であるにもかかわらず「まちづくり整備基金」を設立し，毎年利用されている。民間主導による基金創設の事例は珍しい。

　第 3 に無理ない範囲で経営を行っている。毎年一店舗の開業，またワンオペレーション経営など，景況を見ながら「リスクの最小化」に貢献している。

　第 4 に，新潟の県内需要が大きいことを重視している点である。新潟県内だけで約200万人もの人口が存在している。この県内人口を主要な顧客層としてマーケティングすることで，安定的な経営を行っている。インバウンド客に頼らなくても十分採算が取れる。

　第 5 に，常に新しい目標を持つことでメンバーのやる気を維持している。組織論では重要な点である。

　こうした経営の歯車がうまくかみ合っている点が興味深い。

With コロナの時代に

　しかし，こうした周辺客を重視してきた月岡温泉でもコロナ禍の影響を受けた。月岡温泉旅館組合は2020年 4 月25日からゴールデンウィークいっぱいの 5 月 6 日まで一斉休業することに決め，この間の売り上げは激減した。しかし， 3 月には地元行政機関への働きかけを行い，（営業再開後には） 1 組 1 万円の宿泊補助金を5000組分出してもらえることになり，その後， 5 月15日には 3 つの旅館の経営が再開されることとなった。さらに，雇用調整助成金を活用して 6 月までは基本給の全額を支払い，除菌対策（フロントでのパーテーションや除菌スプレーの設置），スタッフのマスク着用，テーブルの間隔を広く取るなどの策を実施した。新しい店舗（チョコレート専門店）が 5 月にオープンしたが，週末からドリンクが完売するほど盛況となった。 5 月の稼働状況は，実質 1 週間のみの営業で約33％の稼働率だったが， 6 月はキャンペーンの効果もあり WEB 予約に関しては前年同

月比100％を超える予約状況となった。このように，すばやくコロナ対策を行い，地元自治体と連携しながら（ネットワークを組み）販売促進策を実施するなどの結果，宿泊予約が大きく改善した点は注目に値する。

（3）沼垂テラス商店街の取り組み──新潟県新潟市中央区──

　続いて，新潟市中央区（人口は約18万人。新潟市全体では，79万7000人）の沼垂（ぬったり）テラス商店街の事例について紹介をしたい。10年ほど前までは空き店舗だらけであった同商店街だが，民間中心に再生策を行った結果最近はゼロになった。JR新潟駅から徒歩で約1.4キロ，約20分ほどかかるために通勤客が立ち寄る商業地区とは言い難い。むしろ，「大都市近郊・近隣商業型」の周辺商圏を重視した地域商店街といえよう。観光客も訪れる商店街ではあるが，インバウンド客などを主たる対象にしていないので，コロナ禍での影響は小さいものと考えられる。

　この場所は，かつて大手の石油化学工場や製紙会社が立地しており，古くから港町として栄えていた。しかし，石油化学工場の撤退などを契機に，相次ぐ企業の撤退等が重なり，また高齢化や郊外化，モータリゼーションの影響で2010年以前はすっかりシャッター通り化していた。

　2010年頃から少しずつ店が増えてきたが，「個別の店」の再生であり，「面」にはなっていなかった。取組の中心的人物である田村寛氏（現：株式会社テラスオフィス代表取締役。両親がこの市場通りで料理屋を営んでいた）は兼ねてからこのエリアの衰退を危惧しつつ，「外から人が流入することで生まれる，いろんな作用が面白い」と感じ，まず自分で惣菜店を開店させた。それを機に，田村氏が旗振り役となり，「人びとに共感されるノスタルジックな商店街」をモチーフにまちおこしをスタートさせた。

　しかし，この旧沼垂市場通りの店舗は，元々，「市場（いちば）組合」と呼ばれる組織が所有・管理しており，通常の商店街とは異なる。田村氏はこの市場組合に対し交渉を行い，その後この地の購入・利活用が可能となった。また，株式会社テラスオフィスが金融機関から資金の借り入れを

写真 5 - 3　新潟市内　沼垂テラス商店街

行うことで，空き店舗の賃貸ビジネスをスタートさせることに成功した。
また，同社が旧市場の店舗全体を管理・運営することで，店をやりたい人
が出店しやすくなるスキームを作った。まさに，本書で繰り返し述べてい
るエリアのマネジメントを実践したのである。2015年 4 月には旧「沼垂市
場通り」は新たに「沼垂テラス商店街」（写真 5 - 3 参照）として生まれ変
わったのである。

　30代中心の若い店主たちが店を次々とオープンするようになり，2020年
3 月時点では23件の店舗が開業している。

　家賃は店舗面積によっても異なるものの，約 3 万円からと安い。

　店舗は，古本屋，居酒屋，北欧雑貨店，ハンドメイドアクセサリー店，
花屋，ダイニングカフェ，家具と食品，ショールームの店，建築設計事務
所，ビーガン（野菜を中心とした料理等）の店など多種に及び，ほとんどの
店がリノベーション（修繕）されている。

　同商店街の商圏範囲は 1 キロ以上であるが，個性的な店が存続するのに
必要な需要が周辺に存在しているのが強みである。

　各個店の店長の平均年齢は比較的若く，どの店も「現代的なニーズ」を
とらえている。顧客も店主と同年代と思われる30〜40歳代の子育て世代が
多い。また，新商店街の名前の由来にもなったイベント「沼垂テラス」は，
商店街誕生の2015年 4 月からは月に 1 回開催する「朝市（定期イベント）」
に移行し現在も継続的に開催されている。イベントには多い時で，4500人

ほどが集まり，少ない時でも1500人から2000人ほどの集客がある。

　人通りの少なかった市場通りからの再生は，このようにして地元出身の若いメンバーのやる気ですっかりよみがえった。地域再生への強い思いと計画性があれば，まちづくりをスタートさせることができる好例といえよう。

　広報については地域のタウン誌を重視しており，地元新聞にはほとんど掲載されたという。（公財）日本デザイン振興会のグッドデザイン賞も受賞している（2017年）。同賞は無形の「デザイン」に対して受賞がされるもので，今回は同商店街のコンセプトに対しての受賞となった。

　こうした「民間」主導の再生策を実施した結果，2014年以降，地価の下落にも歯止めがかかってきている。これは，同商店街が，継続的なエリアマネジメントの取り組みを進めた結果といえよう。こうしたスピード感のある商店街全体の経営は興味深い。ビジネス形態は基本的には不動産業者1社がエリア一帯を買い上げ，家主として個別不動産に店を貸し出すという方式であるためエリア全体のビジョン形成が容易である。

　経済効果も発生している。産業連関表を用いた波及効果を計測したところ地域内消費の約1.3倍程度の波及効果（不動産収入の中央値（予測値）を用いて推計）が観測された。その他イベントの集客効果を合わせるとさらに大きなものとなろう。

　今後はオリジナル商品づくりをベースに新しいビジネスを展開するという。地元の小学校の総合学習で同商店街が訪問されるなど，老若男女が集う多世代型まちづくりも促進されそうである。

コロナ禍の中でも，一部売り上げが増えた店も

　しかし，順風満帆だったこの商店街も新型コロナウイルスの影響で営業自粛を余儀なくされた。朝市などの大型イベントが実施できない日々が続いたが，その後，「沼垂グルメマップ（紙媒体）」を発行するなど，新しい集客活動をスタートさせた。第3章で紹介した「周辺人口を大事にする」

という地道な取り組みもあってか，より身近な顧客層（沼垂テラス商店街は知ってはいても，足を運んだことがなかった近隣層）が増えたという。さらに，沼垂テラス商店街名物の商店街のネコたちの表情をモチーフにした菓子『沼ネコ焼』の取り寄せ販売も行ったところ，新規需要の獲得に成功した。

　頻繁に実施してきた朝市が，コロナの影響で開催できない代わりに個店レベルでの小さなイベント企画が開催されるようになった。各店舗の努力もあり今のところ，コロナの影響で閉店する店舗はない状況である。店舗によっては，コロナ前と変わらない，またはむしろ忙しいなどという店舗もある[3]。

　インバウンド客の集客は本稿執筆の2020年11月時点ではまだ厳しい状況であるが，新潟県内，もしくは周辺地区からも訪問客が多い沼垂テラス商店街では，こうした地域密着型のインナータイプの再生策を展開し，実績を出している。

（４）リアルオプション法で徐々に開発を拡大する――香川県高松市――

　人口約40万人の香川県高松市の丸亀町商店街は，南北に全長470メートル，157店舗（アパレル関係がほぼ半分）で構成される。その歴史は，高松城築城に伴い丸亀から商人たちを呼び寄せたことに始まるので，1588年となる。

　同市商店街地区は中心市街地の商店街地区の再開発に踏み切り，その際「定期借地制度」を基本としたシステムを構築した「再開発政策」を実施した（2007年）。つまり，商店街の土地所有者に抵抗の多い「土地を売る」ことなしに「期限付きの借地」として再開発を実施した。

　商店街振興組合やまちづくり会社の尽力により，60年間の定期借地権の設定を実現化させ，低層階は商業施設，上層階はマンションとした。土地が借地となっているために，マンションの販売価格は安く，郊外部よりも病院施設の利用や買い物に便利な中心市街地に住みたい高齢者のニーズは高い。

写真5-4　香川県高松市内商店街

特に壱番街エリアの5階部分以上は分譲マンション（47戸）となっており、高齢者をターゲットとして販売されたが、実際には通常のマンションと同様に幅広い年齢層から支持され完売した。また、この再開発計画は、地区ごとに徐々に進められており本書の第3章で述べたリアルオプション法（タイミングオプション）をうまく利用している。壱番街地区で再開発が成功した場合に、次なる地区へ開発を進める、という方式である。このようにタイミングをずらしながら開発をするというやり方は環境変化に即応できる。つまり、リスクヘッジに貢献しているのだ。

　この結果、同町の通行量は一時1万人を割るまで落ち込んだが、2018年時点で、2万5000人まで回復した。居住人口もほぼゼロだった同地区から1000人（321戸）へと増加した。商店街には157店が入居しているが、空き店舗率はゼロとなっている。[4] このように、「インナータイプ」の再生の事例として、マンション付き商店街再開発計画の成果は上々といえる。

　さらに興味深いことに、高松市の丸亀町商店街の一部の店では、近年商店街を訪問したお客さんが陳列品を見て、商品を確認し同店経由でネットで買い物をする人が増えているという。[5] その理由は、ネットで購入することによりポイントを得ることができるからである。もちろん、商店街にもお金が落ちるシステムだ。

　ネットだけの取引では本物がどのようなものか気になる。そこで、店を訪れ、製品を確認したいというニーズが増えているのだ。こうした顧客を「商店経由型ネット顧客（Commercial area's Net Consumer: CNC）」と呼ぶこ

とにしよう。

With コロナの時代は特に，商店街での一般販売に加え適宜ネットを取り入れるマーケティング手法は今後その重要性を増すであろう。

こうしたビジネスは実は JR 大阪駅前の大手家電量販店などでも行われている。この店では，こうした CNC 顧客を呼び込んだ結果，逆に売り上げが伸びたという。最終的に同店から購入する形態をとり，商店街のお店にもお金が落ちるようにすれば，ネット世代の若い顧客層を獲得し売り上げ全体が伸びるシステムが構築できるであろう。

丸亀町商店街のコロナ対策

新型コロナウイルスの影響で商店街の売り上げは大きく減少した。しかし，さすが，底力のある商店街である。すでにいくつかの対策を実施している。[6]

まず，商店街関係者は「何がどのように問題なのか」の解明に乗り出した。

その結果，売り上げ減少の本質は「顧客の現場での感染に対する不安」であると判断し，「コロナ対策室」を設置することとした。この対策室は保健所の指導の下で設置されたが，各個店にコロナ対策を任せるのではなく振興組合が一元的にコロナ対策の指導を行う，というものである。陽性者が出た場合の対策，消毒液，使い捨てマスクの無料配布など各個店では対処方法がわからない，というのが設置根拠である。

さらに，PCR 検査の拡充を行っている。現在の実際の感染者数は極めて低い数値であるが，無症状感染者の存在が怖い顧客は来店を躊躇してしまう。丸亀町商店街地区ではお店で働く従業員（1800名ほど）を対象にPCR 検査を行い，振興組合として安全が確認された店には安全ステッカーの掲示を行う。検査は1カ月に1度のペースで継続して行うこととし，個人の負担は，2200円（一人当たり）となっている。費用の残りは振興組合の負担で，公費は使わないという。当面，対象者への一斉検査は費用の

面で難しいので抽出した20店舗，100名を対象にするという。検査を徹底することで市民に安心感を与え，商店街の販売促進に貢献したいと考えているのだ。

　見えない新型コロナウイルスに対し，漠然とした不安を抱えている商売人は多い。同商店街は「不安」の本質を見極め，対策を練った。さらに大事なのは，こうしたコロナ対策を行う民間サイドの司令塔が明確であることである。民間主導で「これからの商店街」をつくるために的確な指示を出しながらその方向性を示している。かかる費用も行政に安易に頼らず商店街で工夫している。現在，多くの商店街や観光地のコロナ対策を行っているが，香川県高松市の丸亀町商店街の手法は他の地域においても大変参考になるであろう。

表 5 - 1　インナータイプの再生策と「7 つの視点」との関係

7つの視点	和歌山県和歌山市（駅前広場でカットイベント）	新潟県新発田市（月岡温泉）	新潟県新潟市（沼垂テラス商店街）	香川県高松市（丸亀町商店街）
空間ネットワーク戦略		○（近隣観光を重視）		○（コロナ対策室の設置）
効率的な店舗経営	○（徹底した脱3密対策）		○（エリアマネジメント方式で店舗の現状を把握）	○（店舗でもネットでも購入できる店舗あり）
財源マーケティング		○（補助金に頼らない経営）		○（借地ビジネスという発想）
センチメンタル価値	○（地域への愛着をベースにイベント実行）	○（地域愛の強い若者が集まる）	○（両親の時代からの地域への愛着）	
リスク管理（リアルオプション理論等）	○（屋外で髪をカットという新しい発想）	○（一挙に店舗を拡大せずに徐々に拡大）	○（新しいオプションとしてマップ作りを始めた）	○（一挙に開発せずに徐々に開発）
ライバル・商圏戦略			○（周辺エリアから顧客誘引）	○（周辺の商圏を分析）
正しいデータ・予測		○（土産物店経営では，各種データ重視）		○（客観的データを重視）

インナータイプの再生策のまとめ

なお，インナータイプの再生策と第3章の「7つの手法」との関係性は，**表5-1**のようになる。

それぞれの地域が知恵を絞り，本書が示した「7つの視点」に対応する施策をすでに実施している点がうかがえる。

2　アウタータイプの再生策
——地域人口を増加させて再生させる手法——

続いて，「アウタータイプ」型の再生策について述べたい。

アウタータイプとは，地域に企業等を誘致して，まちの居住人口を増やすことで地域再生を図る手法である。地方都市の市街地周辺人口は「（一般）住人」や「商売人，学生，サラリーマン」等から構成されている。地方都市の場合，近年の人口増は例えば郊外の人が市内の中心部に移動するなど「域内移動型」が主であった。しかし，今後は「域外（県外）」からの転入によって居住人口が増える「域外集客型」が注目を集めそうである。コロナ禍の2020年8月時点で，「過密ではない」地方都市への移住への関心が高まっており，例えば関西圏での6月，7月の相談件数（大阪ふるさと暮らし情報センター）は例年の4割増しとなっているからである[7]。なお，相談の年代は40代が最も高く，働き盛り世代を中心に地方移住のニーズは高まりつつある。なお，2020年9月，人材サービス大手のパソナグループ（東京）が，主な本社機能を兵庫県の淡路島に移す計画を発表した。約1200人が移住する計画である。このことはマスコミにも大きく取り上げられ，地方への本社機能移転は注目されている。以下，アウタータイプの事例を紹介したい。

（1）和歌山県白浜町　ワーケーションとしての魅力

　和歌山県白浜町は白良浜ビーチと温泉街で知られるリゾートだが，2019年以降，IT業者が続々と増えている。

　2015年に総務省の補助事業で開設されたのがきっかけとなり，時間や場所の制約を受けず柔軟に働く「テレワーク」の拠点施設が広がるようになった。白浜町と和歌山県が用意した2つの貸事務所，計11室はすべて利用されることとなった。その前提としてこの地域における潤沢な通信ネットワーク環境の存在があげられる。

　南海トラフなどが危惧される白浜町は災害時の通信対策としてネットワークをすでに張り巡らせていた。さらに，IT企業にとってメリットが大きいのが，「和歌山県立情報交流センター　Big・U（ビッグU）」と呼ばれる隣接する田辺市の施設の存在である。この施設は高度情報社会をにらみ，全室でネット接続が可能な最先端のIT機能が整備されている。

　ビッグUでは，回線は外部との出入り口が一つしかないためセキュリティは高度である。こうしたことから移動してきた各社はアンケートに対し，東京でオフィスを構えていた時に比べ商談件数が11%，契約金額が63%増え，通勤時間が減り，地域との交流や余暇の時間が増えたなどと回答している。さらに家賃が安いうえに和歌山県からの助成措置がある点も魅力的といえる。東京中心部の10分の1程度の家賃で約100平方メートルのオフィスを持つ企業もあり，余剰スペースを社員の福利厚生（子供の遊び場）などにも利用できる。小学生など子育て中の家族などにとっては，大自然の中で子供を育て，週末には白浜地区の温泉地はもちろん，県内各地の観光地を「渋滞ゼロ」で移動できるのも魅力的である。いわゆる「ワークライフバランス」が充実しており，これからの時代はまさにこうしたネット環境が良ければ空間にしばられない業種が地方に移りすむ可能性は高い。Withコロナの時代でのワーケーションが楽しめる，海辺に近い脱3密の職場として今後も注目を集めるであろう。

（2）徳島県美波町の取り組み　防災事業とセットでIT企業誘致

　続いてのアウタータイプの再生策の事例として，徳島県美波町の事例を紹介したい。

　人口約6000人，徳島県美波町は海岸部は風光明媚なリアス式海岸で室戸阿南海岸国定公園の中央部に位置している。高齢化率は46%，街の特徴は静かな田舎のまちであるが，一方で，南海トラフのリスクが70%以上と計算されている（2017年12月 政府地震調査委員会）。美波町では，近年2つの再生プロジェクトが始動している。一つが桜町地区における「商店街地区再生プロジェクト」であり，もう一つが「美波町サテライトオフィス誘致プロジェクト」である。

　まず，サテライトオフィス誘致プロジェクトでは，プロの仲介業者が仲介する形で着実にその数を増やしている。2012年より美波町で誘致活動を開始した結果，20社の誘致に成功しており，この値は徳島県下でトップの数字となっている。さらに，2013年に予測された2040年の予測人口は3592人だったが，こうしたサテライト誘致による近年の人口増加を受けて，2018年に予測された2040年の人口は3915人（9%増（323人の増加））と大幅増となった。

　実は，このようなITを中心とするサテライト企業の増加には地域の事情がある。

　同町は，南海トラフ地震でのリスクがあるために，各種対策を練ってきたがその一つが，「大災害時でも"止まらない通信網"」と呼ばれる防災システムの構築である。災害時の情報が寸断されないためにはさまざまな事前準備，住民情報のデジタル情報としての把握など，この事業を実現させる過程で具体的なIT企業との協力が必要になってくる。自治体と手を結び，防災対策事業等を実施することで，IT企業が地方に来るインセンティブが生まれた。こうした，防災をキーワードにさまざまな策を展開した結果，関連企業が集まる様になったのである。東京を拠点としつつも地域にサテライトを持つ。こうすることで大都市と地方とが互いに「関係

性」を維持しつつ，地方創生にも貢献できる。

　その結果，地方の商店街エリアにも変化が見られた。かつては，60ほどの商店であふれた桜町商店街エリアだが，すっかりシャッター通りとなっていた。これを危惧する同町は2015年「美波町総合戦略」に基づき，桜町通り再生プロジェクトをスタートさせたが，その後，この地に移転してきたIT企業などが飲食分野にも進出するなどのケースも新たに誕生した。

　今では民間がリーダーシップをとる形で再生事業が展開されている。その結果，これまでに準備中の店舗を含め桜町通り（約420メートル）内で，8店舗が開業を予定している（すでに開業したものを含む）。つまり，アウター（外部人口）が地域の総人口を増やし，地域商業を含めその他の産業の活性化に貢献したことになる。この点はきわめて興味深い。Withコロナの時代に特に注目したい事例の一つである。

3　新しい手法——商店街ネットモールを展開——

　最後に，十分な地域分析，商圏やライバル分析を行ったうえで，商店街全体をネットモール化（バーチャル商店街）するという考え方について述べたい。この手法はまだ日本の多くの都市では実現化されていないが，Withコロナの時代において今後期待できる手法といえる。

　これは，例えば駅前の商店街を「ひとつのモール」としてバーチャル空間を作り，その店舗の商品などをネットで注文し，即日ないし翌日以内に配達するという手法である。

　しかし，バーチャル商店街と一般のネット注文とどこが異なるのだろうか。以下2点について述べたい。

　第1に，各商店の注文が入った場合の処理（仕訳け）が早い点である。

　第2に，注文後数時間以内で周辺地域に配達（特に生鮮食料品）する点である。生鮮食料品などの注文はネット上もしくはFaxで受けられる。ウーバーイーツ（Uber eats）のようなシステム，ないしはタクシーと協働

> お店のホームページ（鮮魚の○○店）

> 買いたい商品を陳列表示。顧客は，ネット上の「カート」
> （かご）に入れる

> 注文が入った場合は地域の流通経路を用いて即日，ない
> し2日以内に配達（商店街でネットワークを構築する）

図5-1　商店街のホームページにアクセスし注文→即日配達する

で，配達事業を行うことも可能だ。このシステムを導入すると店側には約25～30％の利益が残るといわれている。また，一回の注文が食料品などでは配達料金（固定送料のケース）は買い物総額や距離にもよるが，一般的に300円前後になるともいわれている。そして，主要な顧客層は買い物弱者である高齢者等が想定される。

　第4章の桜井市の商圏データを参考にすれば，半径1キロ圏人口が約1万3000人で，そのうち，高齢者は3731人（高齢化率28.7％），このうち，1カ月の利用者が母集団の7.5％程度とすると潜在利用人口は279人程度となる[9]（一日9人程度）。1回の配達費用の利用者負担部分を300円とした場合[10]，店側の負担額30円を加えて330円程度が実際の配達費用（労賃）となる。また，一日，一人当たりの平均配達を10件とした場合，3000円程度の収入を得ることができる。実現可能な数字だ。

　夕方配送便（例，17時）などを用意し，ファックスや電話，ネットで注文が入ると専門スタッフが代わりに買い物を行い，購入したものを配達する。その際に重要なのが，地域500メートル圏ネットワークという考え方だ。

　500メートルごとに配達の協力要員を配置し，中心市街地の商店街に注

IT会社と連携し，店舗に入ったような感覚でネット上で買い物

図5-2　バーチャル商店街

注）　バーチャル商店街の実相については株式会社クラウドエージェントの代表取締役今村哲朗氏からさまざまなアドバイスを頂いた。なお，株式会社クラウドエージェントについては http://www.cloudagent.co.jp/corp/index2.html を参照されたい。
出典）今村哲朗氏作成の資料より。

文が入った場合にはとりあえず，この中継地点に運ぶ。そしてその後はこの「協力要員」が配達を行うのである。特に地域の社会福祉法人と商工会とがまちづくり会社を作るなど共同体制を組みこの業務を行えば実現可能なシステムとなる。また，これを成功させるためには，「地域ならではのサービス」の提供が重要である。地域振興券を含め商店街ネットモールでは割引サービスが受けられるようにすれば良い（ただし転売を防ぐために，割引率は転売費用以内とする）。また，アフターケアのサービスを徹底的に行う（チャット機能を用いる）ことも重要だ。全体的なイメージとしては，顧客はネットモール商店街（仮称）サイトにアクセスし，購入したい商店をクリックし，買いたい商品を選択，購入する，というものである。ネットに弱い顧客のために各店舗はファックスでも注文を受けられるようにし，後に注文商品をまとめて配達するというケースも考えられる。

　ここまで述べたバーチャル商店街は，すでに中国の大都市部（上海等）にて実施されているベンチャー企業「フーマー[11]」を応用させたものともいえるが，日本の場合，一部の都市（エリアを中心市街地に限定等）でこれが可能か実証実験的に行ったうえでやるとよい。一般のネットビジネスに商

店街特有の地域密着性を加えたものであり，With コロナの時代における地域振興の観点から行政などの助成（補助金等）があっても良いだろう。

おわりに

　脱 3 密が叫ばれるなか，本章で紹介した「インナータイプの再生策」，つまり空きスペースの利用，国内客に絞った観光マネジメント，そして近隣の顧客を重視したエリアマネジメント（新潟市沼垂テラス商店街）などのケースは参考になろう。新潟県新発田市の月岡温泉の事例では県内客を主な顧客の対象としているが，観光客は順調に増加してきた。

　特に，本章の初めで紹介した和歌山市の「駅前広場（外部空間）」でのイベント実施の事例は興味深い。脱 3 密，国内客を対象，という制約の中でさまざまな工夫が施されておりこれからも新しいアイディアが期待されよう。

　さらに，本章では，地域人口そのものを増加させる策，つまり，「攻めの再生策」として「アウタータイプの再生策」も紹介した。With コロナの時代にも，人口密度の低い地方都市への人口移動ニーズが増えるであろう。3 密回避とテレワークの発達，そして「脱東京」の動きは，オフィス移転にも影響を与えるであろう。

　実は，こうした動きは地方創生の名のもと，2017年ごろから「関係人口」[12]政策の中で粛々と展開されてきていた。[13]

　With コロナの時代においてはインバウンド人口の増大は期待できないが，県外からの人口移動（IT 事業の誘致など）を通じて，関係人口を増やした結果，地元の商店街などの出店も増えた徳島県の美波町の事例は興味深い。観光業のみに依存しない新しい時代（＝ポストコロナ）の地方創生のモデルとなるからである。

●注
1）国土交通省は，2020年6月5日，飲食店等を支援する緊急措置として，自治体や地域住民等が取り組む沿道飲食店等の路上利用の占用許可基準を緩和することとした。この取り組みにより，飲食店のテイクアウトやテラス営業のための路上利用について，道路占用の許可基準が緩和さることとなった（自治体が一括して占有許可の申請を行う）。

2）リゾートラボラトリーの月岡温泉ホテルひさご荘代表取締役 小竹英之氏のインタビュー記事（https://www.resort-lab.com/1299/）を参照。

3）2020年9月9日時点における高岡はつえ氏（テラスオフィス勤務）へのヒアリング。

4）福川祐一「中心市街地のにぎわいを取り戻す：復活を遂げた高松丸亀町商店街」2019年5月22日（https://www.nippon.com/ja/in-depth/d00466/）を参照。

5）2019年9月3日，高松丸亀町商店街振興組合の安藝忠和氏（専務理事）と川野洋氏（同常務理事）にヒアリング。

6）高松丸亀町商店街振興組合理事長の古川康造氏がこの取材にご協力くださった。

7）2020年8月25日付『日本経済新聞』関西版。

8）2018年11月6日付『産経新聞』（https://www.sankei.com/premium/news/181106/prm1811060003-n2.html）。

9）リサーチリサーチ「食品宅配サービス利用状況調査」』2018年11月30日（https://www.lisalisa50.com/research20190129_10.html）。

10）百瀬康司「食材や日用品が家に届く「ネットスーパー」4社比較　家事・節約のプロはこう使う」価格.com（https://kakakumag.com/money/?id=15330）。

11）ライブドアニュース「中国，アマゾンを凌駕。30分宅配と店舗の倉庫化がもたらす大革命」2017年7月3日（https://news.livedoor.com/article/detail/13286078/）。

12）「関係人口」とは，移住した「定住人口」でもなく，観光に来た「交流人口」でもない，地域や地域の人びとと多様に関わる人びとのことを指す。

13）この点については，牧瀬稔「議会質問における「関係人口」の経緯」事業構想（Project Design Online），2018年11月号（https://www.projectdesign.jp/201811/assembly-ask/005627.php）を参照した。

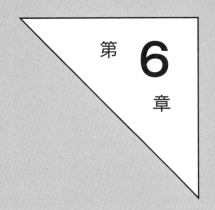

第 **6** 章

ポストコロナの時代に向けて
──エリアマネジメントの今後──

はじめに

　これまで With コロナの時代のエリアマネジメントと銘打って論を展開してきた。

　21世紀の前半で，世界規模の感染症が世界を襲うとはだれも予想していなかった。世界貿易がより一層重要な時代に，国家間の移動ができなくなりサプライチェーンが弱まる。国内でも消費が弱まり，経済活動そのものの維持ができなくなる。

　そして，コロナ禍が終了し，ポストコロナの時代になったらコロナ禍以前に戻るのか。

　おそらくその答えは No であろう。

　ハーバード大学のリプシッチ教授らは，社会的距離政策がウイルスの感染力を60％減少させ，夏期に感染力が40％減少するとした場合，５月中旬まで現在の社会的距離を維持したうえ，８月，10月下旬から年末，2021年２月から４月，2021年６月，さらには2022年以降の同期間に，社会的距離をとる政策を繰り返し実施する必要があるという。[1]

　少なくともポストコロナの時代になっても，新型コロナウイルスに限らずさまざまな感染症のリスクを考えれば「社会的距離」や「遠隔ミーティング」などは引き続きその必要性が認知されるであろう。より具体的には以下の市場が発達する。

　　① ３密を避けるようなイベント，オープンカフェ，テイクアウト市
　　　場。
　　② 駐車場や空きスペース（空間）などを用いた，産直販売所・市場。
　　③ 遠隔講義用の貸部屋等へのスペース市場，ネットワーク市場。

　コロナ禍により，関西のホテルの売り上げの落ち込みが大きく，３月の稼働率が30％以下であり，大阪の客室数は2021年には２万件余るという。

しかし，衛生対策を徹底化させ，国内需要を喚起するような試みや，本書で紹介したようなさまざまな効率的経営を心掛ければコロナ禍以前以上に顧客を集めることは可能だ。

　つまり，With コロナからポストコロナへの転換は，コロナ禍以前に戻るのではなく，新しい発展型の社会の到来を意味する。この点を踏まえ，改めて指摘したい重要な点について以下，まとめていきたい。

1　地域間ネットワークを使う

　第 3 章でもふれたが，まちづくりを行う主体は地域を面としてとらえ，その地域がどのような特徴を有するのかについてまずは分析を行うべきである。本書では大阪市内の梅田地区と難波地区のネットワークについて比較分析を行ったが，空間ネットワークという対象について数値化を行うことでその地域の強みを知ることができる。特定の店舗，サービスに関心があり目的地を訪問する人も存在するが，その地域が持つ空間的な全体像に惹かれて訪問する人も多い（京都を訪問したい，北海道に行きたいなど地理的な魅力は訪問の動機づけになる）。つまり，訪問地のさまざまな属性（買い物の町，文化の町等）によって，地域のにぎわいの質は異なる。また，地域と地域の隣接性についての視点も重要である。こうした地域の持つさまざまな魅力の創出のために，本書で紹介したネットワーク分析を参考に「空間」の魅力づくりを行うべきであろう。これまでのエリアマネジメント活動はこうした視点がきわめて弱かった。つまり，空間特性を今まで以上に把握する必要がある。ポストコロナの時代においてはリスク管理の視点からも，空間ネットワークの把握は特に重要な視点といえる。

2　経営上の工夫に関する視点

　2020年11月時点では新型コロナウイルスの感染者が再び増大しておりこ

の間の移動が制限されるため，経済的ダメージは大きい。少なくとも，With コロナからポストコロナの時代へ移行するまでの間は，以下の策が重要となる。

第 1 にテイクアウト（持ち帰り）市場のさらなる拡大化である。

外食（店内での飲食）が制限される中，「外食するはずの部分」がテイクアウトに新たに流れている。外食市場の需要の一部をテイクアウトに転換することで，ある程度埋め合わせることができる。興味深い海外の事例を紹介したい。アメリカ，ハワイ州ではセントラルパシフィックバンクという地元の民間銀行が地元飲食店への支援を行っている。顧客が購入した店のテイクアウト商品についてその商品を購入者が SNS などネットで第三者に「宣伝」することを条件に購入代金の半額分を助成している。この結果，個店の売り上げも伸びたという。

テイクアウト代金支援キャンペーンは大阪府や和歌山県和歌山市や印南町などをはじめ，日本の一部の地域でもスタートしている。しかし，行政が主体であるケースがほとんどであり，民間主体のケースは皆無に等しい。例えば外食産業の支援を行った民間企業に対し，行政が「法人税の減税」等を認めれば，支援へのインセンティブも増すであろう。

さらに，都市再生特別措置法の規制緩和で2020年11月末まで（延長の可能性もあるが，本稿執筆時点では11月30日で終了予定）の時限措置として商店街などの沿道利用が緩和された。テイクアウトのために店の前の道路空間にブースを出すことが可能となっている（届けは必要である）。この店の前の空間利用は当然ながら屋外なので「密閉」空間ではない。つまり，こうした空間をうまく利用すれば，売り上げの増加に貢献できる。

第 2 に「間借り」という店舗形態の発展である。「間借り」とは，10年ほど前から大阪を中心に広がった店舗を借りる手法の一つである。夜はバーを経営しているお店について，昼は例えばカレー屋さんとして別の経営主体に貸す，というやり方である。一つの店舗を 2 つ以上の経営主体に貸すという手法であるが，家主（不動産所有者）等関係者の了解を取って

進めれば問題はない。家賃の折半も可能となるので，家賃が心配な経営者にとってはこの手法で経費を半減させることも可能だ。

大都市の中心部で「持ち帰り弁当屋」を昼のみに行いたい経営者の場合，昼のみ空いている店舗を借りればよい。不動産利用の効率性も増すので，1 m² 当たりの収益性は改善し，地価にも良い影響を与えるであろう。

第3に，不況期にもかかわらず，売り上げに関係なく定額で発生する家賃や地代などのコスト対策の持続と制度設計である。第2章でも触れたが，利益に応じた家賃制度である「応益家賃制度」「最低家賃制度」をこの時期だからこそ導入すべきである（新潟市の一部区域で2010年より実施されている）。これは，店子が「最低家賃」（その額は2万円程度）を支払えば，あとは売上額で最終家賃が決まるという仕組みである（もちろん店舗面積にも影響される）。今の家賃契約は極端な不況を前提としない過去に結ばれたものだ。売り上げ減を「店子」と「家主」で折半するような発想は今後の互いの信頼関係においても良い方向へ作用するであろう。もちろん，家主側の善意による協力が不可欠なので固定資産税の減免などを行う必要があろう。

上記の手法はいずれも経営体質を強いものにする。ポストコロナの時代に入っても発展する分野といえる。

3 消費したくなるナッジとセンチメンタル価値

商業再生の一番の特効薬はわれわれ市民が地域での購買を増やすことである。地元の店で買う，地元の店で食べる，等は最も重要，かつ基本的な地域再生モデルといえる。近年ではこうしたまちづくりを支援するために「ローカルファースト（地域重視）財団」なども設立されている（理事長：亀井信幸氏（茅ケ崎商工会議所会頭））。地元の店の撤退（地域産業の衰退）は，行政サイドから見れば税収の減少を意味し，その穴埋めのため市民にとっては将来の所得税や消費税が増税される可能性もある。ただし，どうすればこうした地域での消費が刺激されるのだろうか。

近年，行動経済学という分野が経済学では注目を集めている。人が何らかの行動を誘引する「きっかけ」は行動経済学においてナッジと呼ばれている。With コロナの時代には地元市民に地元で買い物をしてもらう，地元で観光をしてもらうような行動を誘引するためにはこのナッジが必要となる。経済学の間では，例えば消費を活発化させるためには，「減税」や「ポイント付加」などがナッジの役割を果たすことが多かったが，いずれも財政負担を伴う。

　規制緩和などもナッジを誘引するが，著者は最も強いナッジは「センチメンタル価値（地域への愛着）の市民の共有」であると考える。すでに第3章でふれたように，地域への愛着は寄付行為を誘発し，当然ながら購買活動をも刺激する。教育機関が地域教育をさらに強化し，子供と地域を巻き込んで地域への愛着感を育てる必要があろう。

　むろん，地域への愛着は自分で見つけ，育むものであるが，（第三者による影響で）新しく地域の魅力を知ることで思いが深まるのも事実であろう。マスコミや地域の教育機関など総出で地域に関する愛着を育む策を実施すべきであろう。

　東京のある飲食店のケースだが，コロナ禍によって売り上げが激減したものの営業の持続が可能なレベルの売り上げは確保されているという（給付金なども受けているが）。それは「なじみのお客さん」が来てくれるからだという。このなじみの客こそが，こうしたリスク時に救いの手を差し述べるといったケースを良く耳にするが，これこそが「センチメンタル価値」をベースにしたナッジ（お店を訪れるインセンティブ）が作用していることの証左といえる。このような時だからこそ，なじみ客や近隣客を特に重視することが必要である。

　こうした With コロナの時代に模索した「新しい消費を促しつつ，既存の顧客を大事にする手法」はポストコロナの時代においても重要な経営戦略だ。いずれも収益を増大させるからである。

4　リスクに備えてオプションを用意する

　第3章で紹介したように，オプション（選択肢）を考慮したエリアマネジメントがより一層必要となる。オプションとは，「（いざという時の）備えの選択肢」のことであり，新しい道への選択肢ともいえる。これからの時代，ますます人口は減少し国家間の移動が制限されるかもしれない。こうしたさまざまなリスクを考慮しつつ，新展開（新しいオプション＝選択肢）を考える。新しい選択肢を探す中で新ビジネス（新しくホームページを整備し，新規顧客を獲得するなど）が見つかるかもしれない。経営もまちづくりも同じであり，本書で紹介した――リアルオプション的発想――が生かされる時期が来ている。兵庫県を中心に広告チラシなどで生計を立てていた著者の知り合いの企業は，コロナ禍で注文が激減した。しかし，「（広告）需要量そのものには変化がないはずである」と冷静に分析し，「配布チラシ」ビジネスから「ポスティング（投函）ビジネス」へと業態を変化（新しいビジネスオプションの選択）させたところ，6月の売り上げが急激に伸びたという。コロナ禍においても日々消費する食事の量には変化がないように，「変わらないもの」「変わるもの」を冷静に見極め，ビジネスの選択肢を増やすことが必要である。

5　ライバルの存在，商圏人口を知り，まちのコンパクト化を目指す

　本書では，ライバル店の存在を考慮し，また自分の店舗が影響を受けるであろう商圏人口分析の重要性を繰り返し指摘してきた。With コロナの時代には，都道府県をまたいでの移動も敬遠されがちである。つまり，同じ地域圏内，都市内の周辺からの顧客を集める必要がある。少なくとも，インバウンド客が2019年時点の水準に戻るまでは，地元，周辺を重視し顧

客獲得に関する戦略を立てるべきである。そんな中，本書で紹介した「極周辺」つまり，1キロ商圏エリアが重要な指標となろう。1キロ圏内にどのような年齢別人口，男女別人口が分布しているのか。そもそも1キロ商圏人口はほかの都市に比べて多いのか，少ないのか。多様な業種が多いのか少ないのか，等について検討を重ねなければならない。

　また，客層の絞り込みも重要である。繰り返しになるがリピート客の存在，つまり「なじみのお客さん（既存客）」を大事にしてほしい。飲食店の場合は，なじみ客は長年の付き合いであるケースが多いが，こうしたお客さんを一定数確保することで経営リスクを低減させることができる。この時期にお店に足を運んでくださる顧客には，特別にポイント（割引など）を付与するなど特に大事にしなければならない。

　一方で新規に訪れる顧客の獲得も大事である。この点については，SNS（ソーシャルネットワーク）での宣伝等を最大限利用し，またまちづくり会社や商店街の各種組合などを利用することで共同販促キャンペーンを行う。飲食店においては，店舗内で一定間隔をあけることを条件に駐車場などを利用した「青空市場」の実施なども考えられよう。

　上記の分析を行ったうえで，地元商店街に特化したネットモールの創設も検討されたい（第5章）。商店街でホームページを用意しているケースは多いが，そのサイトで商品を決済，購入できるケースは皆無に等しい。ホームページの管理などは外注すればよいし，各店舗のこれという「逸品（1種類か2種類ほど）」についてはネットで注文，宅配するシステムを作ることで新しい消費者層を見つけることができる。また，例えば商店街のホームページから購入した場合にはポイントを付加する。その原資はクラウドファンディング（インターネット上で一般から寄付を集め，寄付者には飲食サービスなど何らかの「実物配当」等を行う）を用いるか，当初は行政等の補助金の獲得を模索するなどの工夫も必要であろう。

　国内で新型コロナウイルスが沈静化しても，経済が正常化し，国際間の取引が活発になるのには少し時間がかかる。ポストコロナ（国内）の時代

においても，重要な視点といえよう。

6　先端技術を利用し，予測の精度を高める
──スーパーシティ構想との関係で──

　ポストコロナの時代を見据えて，人工知能（AI）やビッグデータなどの最先端技術を活用した未来都市のモデル，「スーパーシティ構想」の実現に向けた改正国家戦略特区法が2020年5月，参院本会議で可決され成立した。国家戦略特区制度を活用し，ネットの技術を用いながら効率的な都市サービスを提供できることが「スーパーシティ」構想のねらいである。地域での自家製エネルギーもこうした技術を用いれば最適配分も可能である。すでに，カナダのトロント市ではGoogle系列会社が行政と連携し，場所，ヒト・モノの動きをセンサーで把握し，ビッグデータを活用した都市設計が進んでいる。また中国の杭州市では，アリババ系列会社が官民連携のもと，交通違反や渋滞対策にカメラ映像のAI分析を活用している。[2] 日本においては，大都市はもちろん，あえて地方都市でもこうした手法を実験的に導入し，その実効性を確認しながら前に進めるべきであろう。

　さらに，人工知能（AI）の活用（第3章参照）もさまざまな局面で必要になろう。

　今後，日本国内はおろか国際競争が激化するであろう。こうしたAI技術を援用しつつ，精度の高い各種地域データの「予測」を行い生産性を高める必要がある。まちづくり分野においては特に，マーケティング，人口予測，平均客単価の予測などさまざまな客観的な予測が必要となる。こうした最先端の技術を利用する上でもエリアマネジメント団体はAI等を含め統計分析に強いスタッフを雇用（ないし外部委託）し，エリア全体の富の増大に資するような組織を作るべきだ。特にポストコロナの時代にはよりいっそうの数値予測や消費者行動分析が必要となるからである。

おわりに

　本書で紹介した理論や事例はどれもがインバウンドによる地域再生策が華やかに注目を集めていたころには，目立たない地味なものであったのかもしれない。しかし，新型コロナウイルスの登場で，国内観光の重要性が指摘され，また商売も近隣地区の顧客・需要を重視するようになった。ポストコロナの時代にはインバウンド観光がまた増えるであろうが，その時は以前に増して「国内観光市場」と「購買市場」が拡大しているはずである。また，この間集客が少なくても成立するような経営の工夫がなされており，経営効率の改良も予想される。

　つまり，ポストコロナ期には21世紀に入り日本経済の弱点ともいえる「潜在成長率」が上昇している可能性が高い。そのためにも今の時点からリスク管理を備えた，また，総合的なマーケティング能力を有したまちづくり組織の立ち上げをスタートさせなければならない。

　その一つの形態として本書が取り上げた民間主体のエリアマネジメント組織をさらに充実化させる必要がある。

　地域に存在する商工会，商店街振興組合，まちづくり会社と連携しつつ都市空間エリアをベースにエリアマネジメント団体——例えば都市再生推進法人——を設立し，本書で述べた地域再生のための総合俯瞰ができる組織を早急に作るべきであろう。

　海外客が20%減ったらその分，2割国内客を増やす。そのためにも正確なエリア分析を行い，「ローカルファースト」を理念に周辺客にそのエリア内で経済（お金）を循環させる仕組み作りが必要である。ポストコロナ期においては，この手法により増加した国内客と，その後増えるであろうインバウンド客の合計により，経済はこれまで以上の成長を遂げているはずである。

　まちづくりにとっても，経済にとっても厳しい時代になったが，こうし

たまちづくり経営（エリアマネジメント）の変化は，筋肉体質の経営形態を生み，日本経済の発展に寄与する。そして，この目的を達成するためには，なによりも「地域の本気度」が問われるであろう。

■　■　■

●注 ────────────────────────────────

1 ）https://www.technologyreview.jp/s/199595/social-distancing-until-2022-hopefully-not/ 参照。

2 ）内閣府国家戦略特区「スーパーシティ構想について」（https://www.kantei.go.jp/jp/singi/tiiki/kokusentoc/supercity/dai3/shiryou2.pdf）参照。

参 考 文 献

足立基浩『シャッター通り再生計画』ミネルヴァ書房，2010年.

岩田信一郎・隈田和人・藤澤美恵子「地理的市場占有率と不動産価格——東京都心10区からの証拠——」『季刊住宅土地経済』秋季号，No. 114，2019年.

植杉大「小地域別地価水準のローカル回帰モデル推定——埼玉県さいたま市を例として——」『摂南経済研究』第2巻第1・2号，2012年.

小林慶一郎・森川正之編著『コロナ危機の経済学——提言と分析——』日本経済新聞出版，2020年.

小林重敬・森記念財団編著『エリアマネジメント　効果と財源』学芸出版社，2020年.

木下斉『稼ぐまちが地方を変える——誰も言わなかった10の鉄則——』NHK出版新書，2015年.

客野尚志「空間的自己回帰性に考慮した回帰モデルによる都市圏の都市化現象のモデリング　成熟社会における土地利用変化モデルの考察」『日本建築学会計画系論文集』78巻689，2013年.

清成忠男『地域創生への挑戦』有斐閣，2010年.

根田克彦『まちづくりのための中心市街地活性化——イギリスと日本の実証研究——』古今書院，2016年.

坂田一郎・梶川裕矢・武田善行・柴田尚樹・橋本正洋・松島克守「地域クラスター・ネットワークの構造分析—— 'Small-world' Networks 化した関西医療及び九州半導体産業ネットワーク——」RIETI Discussion Paper Series，06-J-055，2006年.

坂田一郎・梶川裕矢・武田善行・橋本正洋・柴田尚樹・松島克守「地域クラスターのネットワーク形成のダイナミクス——12地域・分野のネットワーク・アーキテクチュアの比較分析」RIETI Discussion Paper Series，07-J-023，2007年.

神野直彦『地域再生の経済学——豊かさを問い直す——』中公新書，2002年.

中沢孝夫『〈地域人〉とまちづくり』講談社現代新書，2003年.

ロバート・フェルドマン『未来型日本経済最新講義』文藝春秋，2020年.

細野助博『中心市街地の成功方程式』時事通信出版局，2007年.

饗庭伸『都市をたたむ』花伝社，2015年.

古谷知之「ベイズ地理的加重回帰モデルの地価モデル推定への適用」『都市計画論文集』Vol. 39，2004年.

増田寛也『地方消滅——東京一極集中が招く人口急減——』中公新書，2014年.

毛利一貴・中川大・大庭哲治「大都市近郊部における開発地の立地選択要因に関する分析」

第38回土木計画学会発表論文，2008年.

山下祐介『地方消滅の罠——「増田レポート」と人口減少社会の正体——』ちくま新書，2014年.

若林直樹『日本企業のネットワークと信頼——企業間関係の新しい経済社会学的分析——』有斐閣，2006年.

Brunsdon, C., Fotheringham, S. and Charlton, M. 'Geographically Weighted Regression: A Method for Exploring Spatial Nonstationarity' *Geographical Analysis*, Vol. 28, No. 4, October 1996.

結びに変えて

　本書の執筆をスタートして一年が経過したが，今は一年前には存在しなかった「新型コロナウイルスの出現」により世の中は一変した。

　しかし，思えば，人類の英知はさまざまな苦難を乗り越えてきた。イギリスの医学者エドワード・ジェンナーによって天然痘ワクチンが開発されたのは，まだ馬車が走る時代の1796年のことである。その後，狂犬病を研究したパスツール，結核菌のコッホらが受け継ぎ，数々の感染症を克服してきた。

　私はかねてから経済学は社会の医学だと思い，そのことを学生たちにも伝えてきた。経済活動を止めればコロナの拡散もストップすることは4月7日の緊急事態宣言で証明済みだ。

　しかし，これだけ多くの人口が市場メカニズムに依存している現在，供給や需要を意図的に止めることはそれなりのコストがかかる。日本の場合，世界一の借金大国とまで言われ，財政赤字も懸念される。赤字の増大は，貨幣の信用力を下落させ，インフレになる可能性を秘めている。

　はたして，これから日本の地域再生はどうしたらよいのか。

　本書で述べたように，その答えはエリアマネジメントにある。一定の活動制限（脱3密，ソーシャルディスタンス）を条件に，社会経済の生産性，販売力を最大化させなければならない。

　本書で紹介した「極周辺」の概念や「オプション理論」などを理解し，エリアを軸としたまちづくりを実践するのが今後のまちづくりには必要となるであろう。それはつらい作業ばかりではない。コロナ期においてもわれわれが生活に必要とする「需要量」にさほどの変化はなく，行き場を

失った需要，消費をとらえればよいだけの話だからである。その意味では新しい「宝」探しの作業といえるかもしれない。

　エドワード・ジェンナーは，天然痘ワクチンのカギを握るのが，乳搾りの女性にできた「水泡からの液体」と予測し，治験者となった少年に対し，徐々に接種させ，抗体をつくることに成功した。
　同様の手法で，都市エリアも，コロナによるダメージに，徐々に抗体を持たせる必要があろう。
　経済の回復とコロナ対策。エリアの知恵比べが始まっている。
　本書を手にした皆さんが，本書が示す理論や事例を少しでも参考にしていただけたら幸いである。

　本書を執筆するに当たって実に多くの皆様にお世話になった。本書に出てくる事例紹介などはすべてそこに関わる人とのインタビューなどから構成されている。ご協力いただいた皆様に謝意を表したい。

　自らがメンバー，また座長を務めさせていただいた国土交通省「まちづくり活動の担い手のあり方検討会，平成28年」の事務局の大井裕子様（当時，国土交通省 都市局 都市政策課）にも大変お世話になった。

　エリアマネジメント研究では，特に京都大学の官民まちづくり研究会や森記念財団のエリアマネジメント研究に関するメンバーの皆様には大変お世話になった。特に小林重敬先生（横浜国立大学名誉教授），御手洗潤先生（京都大学客員教授（現在，復興庁　原子力災害復興班）），吉田恭先生（京都大学特定教授（現在，東日本高速道路株式会社管理事業本部　本部付部長）），要藤正任先生（京都大学特定教授），平田研様（現長崎県副知事），植松宏之様（梅田地区エリアマネジメント実践連絡会事務局長），福富光彦様（森記念財団専務理事），園田康貴様（森記念財団都市整備研究所主任研究員）また川村光世様（光

亜興株式会社代表取締役社長）をはじめとする各種研究会メンバー等の皆様には大変お世話になった。エリアマネジメントの可能性を地方都市にも広げる機会を下さった。ここに謝意を表したい。

　さらに，商工会議所に設置された委員会「民間主導のまちづくりタスクフォース」の座長の任をいただいたが，この経験は大きかった。このタスクフォースのメンバーである，亀井信幸様（茅ヶ崎商工会議所会頭），阿部眞一様（全国商店街振興組合連合会副理事長），河木照雄様（豊田まちづくり㈱代表取締役），五十嵐克也様（日本商工会議所地域振興部長），そして鵜殿裕様（㈱日本政策投資銀行設備投資研究所経営会計研究室長）にはここ数年にわたり「民間活力の必要性」「ローカルファーストの重要性」などについて徹底的な議論を行うことができた。謝意を申し上げたい。

　本書で紹介した国土交通省の規制緩和策（2020年6月5日）の「新型コロナウイルス感染症の影響に対応するための沿道飲食店等の路上利用に伴う道路占用の取扱いについて」の原案は，五十嵐様から「政府に対する要望」ということで今年3月ごろにご相談を受け，私から「テイクアウト用のブース設置のための歩行者道路利用の規制緩和」を提案させていただいたものであった。その後，日本商工会議所経由で政府に届けてくださったが，実現されることとなった。こうしたルートを提供して下さった日本商工会議所に感謝したい。

　また，10年前の東京での講演をきっかけにご縁を頂いた宮崎県商店街振興組合連合会理事長の日高耕平様，櫛間節夫事務局長にはまちづくりの現場（宮崎）で大変お世話になった。この10年間，宮崎県内のほぼすべての地区の調査・勉強会にご一緒させていただき，また，本書で紹介した多くの訪問箇所（新潟県，香川県の事例など）は宮崎県の皆さんと一緒に調査訪問したところばかりである。いつも親身になって相談に乗ってくださる日高理事長，櫛間事務局長に感謝は尽きない。

　また，在阪報道局（読売テレビ）の皆様にも大変お世話になった。特に新型コロナウイルスに関する報道を行った際に，大阪府の吉村洋文知事や和歌山県の仁坂吉伸知事と意見交換ができたのは有益だった。コロナ感染をいかに行政的手法で減らすのか，現場の声を聴けた点は大きかった。同テレビの関係スタッフの皆さんに感謝したい。

　また，ご多忙の中，本書の草稿をお読みいただき詳細なコメントをくださった和歌山大学名誉教授の大泉英次先生，私が現在関わる紀伊半島価値共創基幹にてさまざまなアドバイスをくださった伊東千尋和歌山大学長（基幹長），適宜経済学の視点から地方創生について的確なアドバイスをくださる荒井信幸教授，和歌山大学講師の上野美咲さん，保険リスク分野（リアルオプション）でのアドバイスとして原田愛子さんには本当にお世話になった。改めて謝意を表したい。

　また，現在紀陽銀行で社外取締役として勤務させていただいているが，地方経済における地域金融機関の重要性を改めて肌で感じている。松岡靖之様（紀陽銀行取締役頭取）をはじめ，経営陣スタッフ，行員の皆様に大変お世話になっている。

　さらに，晃洋書房の編集者の阪口幸祐さんには本書の細部にまでコメントを下さるなど，大変お世話にった。改めて謝意を表したい。

　最後に，常に私を応援し続けていただいた私の両親，父 道彦と母 光代と姉 真理に感謝を申し上げたい。

　本書が，コロナ禍という今まで経験したことのない世界で悩まれている方々の一助になれば幸いである。

　2020年12月16日
　　今にも雪が降りそうな景色を研究室から眺めながら
　　　　　　　　　　　　　　　　　　　　　　足 立 基 浩

索 引

著者紹介

足 立 基 浩（あだち　もとひろ）
　　1968 年生まれ
　　ケンブリッジ大学土地経済学研究科 Ph.D.（土地経済学博士）
　　和歌山大学経済学部教授，副学長
　　株式会社紀陽銀行　社外取締役

　　大学で教鞭をとる一方，これまで，内閣府「中心市街地活性化検討委員会」
　　委員（2014 年）や，国土交通省「まちづくり活動の担い手のあり方検討会」
　　座長（2017 年）を歴任。

主要業績
『まちづくりの個性と価値』日本経済評論社，2009 年
『シャッター通り再生計画』ミネルヴァ書房，2010 年（2011 年 不動産協会賞
受賞）
『イギリスに学ぶ商店街再生計画』ミネルヴァ書房，2014 年ほか多数

新型コロナとまちづくり
──リスク管理型エリアマネジメント戦略──

2021 年 2 月 10 日　初版第 1 刷発行	＊定価はカバーに	
2021 年 5 月 15 日　初版第 2 刷発行	表示してあります	

　　　　　　　　　著　者　　足 立 基 浩ⓒ
　　　　　　　　　発行者　　萩 原 淳 平
　　　　　　　　　印刷者　　田 中 雅 博

　　　　　発行所　株式会社　晃 洋 書 房

　　　☎ 615-0026　京都市右京区西院北矢掛町 7 番地
　　　　　　　　　電話　075（312）0788番代
　　　　　　　　　振替口座　01040-6-32280

装幀　HON DESIGN（小守 いづみ）　　印刷・製本　創栄図書印刷㈱

ISBN 978-4-7710-3450-1